D0241791

THE LIVING DORIC

Poems by Sheena Blackhall, George Bruce, Peter Buchan, Flora Garry, James D. Glennie, Donald Gordon, Douglas Kynoch, M.S. Lumsden, Alastair Mackie, Ken Morrice, David Ogston, Lilianne Grant Rich, George Ritchie, Alexander Scott and James S. Wood.

Edited by Cuthbert Graham

In Memory Of May Thomson

Though May's awa, we've aye the flooers
She gied's. They've never dee't.
Bonnie thingies she dried hersel
In the steen chaumer aneth her hoose,
They maun gledden mony a hert yet,
May's flooers.

Douglas Kynoch

Printed and Published in November 1985
for the Charles Murray Memorial Trust
by Rainbow Books, Unit 2, Saxbone Centre, Howemoss Crescent,
Kirkhill Industrial Estate, Dyce, Aberdeen.

Cover design by Sheena Blackhall

CONTENTS

SHEENA BLACKHALL

Patterns of Life ... 9
A Mither Tint ... 10
Pastoral ... 11
Sna ... 11
Lang-Legged Tam ... 12
Balmennie's Nell ... 13
Miss MacBrodie ... 14
A Stone By The Spittal Of Glenmuick ... 15

GEORGE BRUCE

Seaman, Rider And Poet ... 16
Urn Burial ... 17
Thochts On Rembrandt ... 18
Scots Haiku ... 19
Ae Nicht Fire-Bleeze ... 20
Single Ticket: Edinburgh-Bennachie ... 21
Chopin At Warriston Crescent - 1848 ... 22
Scots Bard ... 23
On The Roads ... 24

PETER BUCHAN

Leebie ... 25
Shift O' Win' ... 26
Hairy Tatties ... 27
Craigewan ... 28
Ye Widna Be Sellt! ... 29
Far Are They Noo? ... 30
The Win' In 'Is Face ... 31

FLORA GARRY

A Maitter O Status ... 32
Snow And Sea ... 35
The School At Cairnorrie ... 36
Village Magdalen ... 38
Sweet Cicely ... 39
Figures Receding ... 40
Playin At The Ba' ... 42
Foo Aul' 's Bennachie? ... 43

JAMES D. GLENNIE

Sunty ... 44
Doon By The Don ... 45
The Mason Loon ... 46
Bonfire Nicht ... 47
Paradise Woods ... 47
In The Stable ... 48
Craws ... 48
The Fisher's Luck ... 49
Night Scene ... 49

DONALD GORDON

Long Journey Back ... 50
End Of Story ... 51
In Thy Greit Mercie ... 51
Auld Alliance ... 52
A Land Fit For Heroes ... 53
Cultural Revolution ... 54
The Shaws O' Academe ... 55
Confirmed Bachelor ... 56
The Resurrectionists ... 57
Of Man's First Disobedience 57
Auld Acquaintance ... 58

DOUGLAS KYNOCH

Blue Toon Carol ... 59
His Ain Back ... 60
Nine Gweed Rizzons ... 61

M.S. LUMSDEN

In Time O Tribble ... 62
Stannin Still ... 62
Bairns' Ploys ... 63
Gossamer ... 64
The Chackle-Mull I The Wud 64

ALASTAIR MACKIE

Aiberdeen The-Day ... 65
Street Games ... 65
In The Thirties ... 66
Aiberdeen Street ... 66
Street ... 66

'Will Ye Come To Abyssinia Will Ye Come' 67
Hoose 68
Primary Teachers 69
Fatty And Skinny 70
Trainie Park 71
Victoria Park 71
Westburn Park 72
Boris Karloff 72

KEN MORRICE
Winter Ferlie 73
Caul Kail 74
Spendthrift 74
Easter Ferlie 75
Procrustes 75
Successor 76
Eye Of The Beholder 76
Foo Mony Cubits? 77
The Dook 77
The Bairnie Jesus 78
Day Wins Doun 78
Makar 79
Boom Toon 79

DAVID OGSTON
White Stone Country 80
'Gowd An Yalla' 81
My Faither's Sark 82
The Doric Angel And The Hill-Men 84
Furs 84
Touch 85
The Meaning Of Life 85
Man, Ye Were Safe 86
Sudden Dread 87
The Orra Man's Wird 87

LILIANNE GRANT RICH
Veteran Mariner On Greyhope Road 88
A Christmas Prayer 89
Her First Necklace 90
From The Clifftops 92
The Empty Playground ... 92
Journey Into The Past ... 93
Strathbogie Carol 94
Nativity 95

GEORGE RITCHIE
Green Eel 96
Ae Day's Eneuch 96
Time 97
Twa Wyes 97
The Vricht 98
The Chiel Ahin 98
The First Pase 99
Fa's Carin? 100
Scotland 100
The Mannie 101
The Hill 101
Fa's Richt? 102

ALEXANDER SCOTT
Untrue Tammas 103
Calvinist Sang 104
Sang Sonnet 104
Young Byron In Aberdeen 105
Birds In Winter ... .105
Coronach 106

JAMES S. WOOD
Time 107
Psalm 139 108
Postscript To Creation ... 109
Tam 109
Geordie's Croft 110
The Fishers 111
Overheard At The Mart ... 111
Love Story 112
Temptation 113

GLOSSARY 115

Acknowledgements

There can be no doubt that without the timely hospitality of 'The Press and Journal' many fewer poems in the vernacular of the North-east of Scotland would have seen the light of print. In acknowledgement of that we pay grateful tribute to the Editor of 'The Press and Journal' and to its Features Editor.

Of Sheena Blackhall's poems, 'Pastoral' first appeared in 'Chapman', the Scottish poetry magazine, while the others were printed in 'The Press and Journal'. Of George Bruce's poems a number were written for Duncan Glen of 'Akros' and appeared in that journal. All Peter Buchan's poems originally appeared in his own collection 'Mount Pleasant' published in Peterhead. All Flora Garry's poems with the exception of 'The School at Cairnorrie', which appeared in 'The Press and Journal', are in her collection 'Bennygoak and Other Poems' (Rainbow Books).

Of Douglas Kynoch's poems 'His Ain Back', which was awarded the McCash Prize for the best Scots poem of its year, appeared in 'The Scottish Review', and 'Nine Gweed Rizzons' in 'Aberdeen University Review. M.S. Lumsden's poems appeared in 'The Press and Journal North-East Muse Anthology' and in 'The Press and Journal'. Alastair Mackie's poems are all from 'In The Thirties' in 'Back-Green Odyssey' (Rainbow Books 1980) with the exception of 'Aiberdeen The-Day', specially written for this book.

Ken Morrice's poems are from 'Relations' (Rainbow Books 1979), 'For All I Know' (Aberdeen University Press 1981) and from 'Bennachie Again'. Most of the poems by David Ogston first appeared in 'The Press and Journal'. All the poems by Lilianne Grant Rich are from 'The Horn Speen' (Rainbow Books 1983) with the exception of 'Nativity' which first appeared in 'Echo of Many Voices' (A.U.P.). George Ritchie's poems have all appeared in 'The Press and Journal'.

Among Alexander Scott's poems 'Untrue Thomas' comes from 'Mouth Music' (Macdonald, Edinburgh 1954), 'Sang Sonnet' from 'Cantrips' (Akros 1968) and the others from 'Selected Poems' (Akros 1975). The poems of James S. Wood have all appeared in 'The Press and Journal'.

Introduction

Funds to produce this little book were derived from a legacy bequeathed to the Charles Murray Memorial Trust by one of their members, the late Miss May Thomson, who died in June 1984. Miss Thomson had devoted a great part of her life to reading and reciting Scots poetry to a great variety of audiences, including Guilds, W.R.I.s and other organisations up and down the country — but mainly in the North-east knuckle of Scotland from Moray in the north-west to northern Angus in the south-east.

Miss Thomson had suggested that the money might assist in the publication of Scots poetry. It seemed to the members of the Trust that it might be used to assist the gathering together of works in the living Doric — the vernacular of the North-east which is still the basis of a literary movement which began in the last quarter of the nineteenth century and became known throughout the rest of Scotland as the Vernacular Revival. It flourished greatly in the first quarter of this century when Charles Murray himself was its greatest luminary. It was at first supported and then attacked by Hugh MacDiarmid, who wanted all dialects to be subject to an over-riding Scottish national tradition. His ideal was for a kind of poetry that 'would be spoken in the factories and field and in the streets of the town'. His own verse never attained that ambition — but the living Doric of the North-east exactly fulfills that aim. What is more it continues to be widely used and universally understood throughout the whole region embracing Banff and Buchan, the Garioch, Deeside and the Mearns.

Here are collected examples of the poetry of fifteen men and women: Sheena Blackhall (Deeside), George Bruce (Fraserburgh), Peter Buchan (Peterhead), Flora Garry (New Deer), James D. Glennie (Inverurie), Donald Gordon (Aberdeen), Douglas Kynoch (Aberdeen), M.S.Lumsden (Aberdeen), Alastair Mackie (Aberdeen), Ken Morrice (Aberdeen), David Ogston (Auchnagatt), Lilianne Grant Rich (Speyside), George Ritchie (Aberdeen), Alexander Scott (Aberdeen) and James S. Wood (Portknockie).

Not all the poets still live in the places of their origins. David Ogston and George Ritchie are in Perth; George Bruce is in Edinburgh, Alexander Scott in Glasgow, Alastair Mackie in Fife and Donald Gordon, the only one of the fifteen to have died while the book was in the making, had spent a lifetime working for Britain all over the world in the Diplomatic Service, from which he retired while Ambassador to Austria.

Small dialectal differences occur throughout the book. In Buchan father is 'fadder' and mother is 'midder', while elsewhere 'faither' and 'mither' serve. But in spirit all the poets really belong to a very strongly defined sub-culture, mainly rural and fishing, which sociologists like Ian Carter have called the Poor Man's Country, which extends from Banffshire to the Mearns and coincides with the area where bothy ballads were cultivated and a huge folk literature was recorded by Gavin Greig and James B. Duncan.

If today's fashionable literary stars in the West of Scotland, like Tom Leonard and others can feel free to present what is virtually a new language composed of the **sounds** of the local speech in Glasgow and Lanarkshire, surely the vernacular poets of today in the North-east of Scotland are entitled to continue a century-old tradition of Doric verse based most faithfully on the spoken tongue of the Poor Man's Country. Teachers in our North-east schools have manfully supported in 'Ten Northeast Poets' the earlier luminaries of the Vernacular Revival. In this book they could show their scholars that the movement continues without any falling-away in power and vitality.

SHEENA BLACKHALL

Mrs. Blackhall was born in 1947, daughter of Charles Middleton, for many years manager of Strachan's Deeside Bus Service. She was educated in Aberdeen, went to the Aberdeen Girls' High School, and to the College of Education, teaching at Easterhouse in Glasgow, at Fraserburgh and in Aberdeen before she married Kenneth Blackhall, nephew of farmer and county councillor A.J.Blackhall, Tarland, famed as 'barley king'. They have four children. Mrs. Blackhall's first book of poems 'The Cyard's Kist' was published by Rainbow Books in 1984.

Patterns of Life

A bigsie chiel o' sma' accoont
Liftit his heid ae day
An' frae the verra founs o' ignorance bespak'
That aa aroon — stars, sun an' warld
Wis some cosmic mischanter, a celestial mistak.

Nae mischanter hauds the seasons gaun:
Birth, growth an' daith, the hale kiboodle,
Year in, year oot, ayebidan.

Birth's a cycle in itsel —
A body sundered i' the fires o' hell;
The quickenin' bairn inside
Hungry for braith, an' Licht
Fechts throwe fitever:
Nae pain like it, nor nae peace;
Fear, swyte an' bluid
Brings furth sair-won release.

Comes the snibbin' o' the door,
On beatin' wings a midnicht swan;
The tychauve o' life drifts oot,
Takkin the laich road
Till the siccar dawn.

A Mither Tint

The mistress o' Tipperton, couthie and kind,
She winted for naething that siller could gie
Wie only her chuckens and calfies til tend,
There's nane had as saft a doon-sittin as she.
She'd a boddomless ladle for tinks on the scraun
(Tho' the nickums, she kent, werena safc near a hen).
Faur ithers wad show them the back o' a haun,
She'd smooth doon her peenie, cry 'Come awa ben!'

Ilkie snocherin geet fand her door wis ajee
For bannocks or bosies or buits 'gainst the wither,
And mony's the sharger, fin term-time fell tee
Thocht 'Lord, 'twid be grand tae hae **yon** for a mither!'

But fyles in the dark o' the strae o' the laft,
In the bield o' the byre oot o' sicht o' the fowk,
As the kye licked their littlins ower, tender and aft,
Mistress Tipperton, watching them, grat like a gowk.

Her briest nivver suckled, her care nivver missed,
She thocht on a cradle, o' squallichin', teem
O' hope lang laid by, like the shawl in the kist —
An' the wecht o' the thocht wis the wecht o' a steen.

Buskit wi' garlands an' happit wi' yird
'Fit sorra?' fowk said, 'for she nivver kent wint...'
Bit the auld clockin hen, though it spak ne'er a wird
Kent the richt an' the wrang o't — a gweed mither tint.

Pastoral

Toun-fowk, wi' their cant o' couthie fairms,
O' reid-cheeked bairns an' hamely fare
O' reemin' brose bowls, sickle and the seed
Hinna the stab o' the ploo
In their hert's bleed.
Like rattans in the strae,
They glean the best o't...
Nivver keepit vigil in a byre
At the bare back o' midnicht,
Bane-weariet, numb-neived, caul'
Ruggin' a new-born breet
Frae its shudderin' mither's sides
Girth-wallopin' an' weet
Intae the darksome stall.

It's then, at the chap o' the deid oors,
Like a foreman's sweir
The door o' the barn tit-tits
Ootbye, the mune-struck hills are a stair.
O, gin I could, I'd climb them
Up til the stars that hing
A frostit furrow i' the air
Back till the crack o' Time, back lang
As the fowk that vrocht afore
Wha kent that naething maitters
O' the haill jing-bang
Bit the muckle hills, an' the gran'
Braes, beasts an' hairsts,
An' the win's sang.

Sna

A silent sameness, happt wi' caul',
The sna devours the lan' wi' nae devaul,
Maks mockerie o' milestanes,
Soun' faas thin.
I like the sna,
Nae tracks that bide
Ae shift o' the win'
An' aa's Creation-clean
As a braid tide.

Lang-Legged Tam

A hudderie-heidit, tattie-bogle tyke
Wis lang-legged, whusslin Tam,
The bik aye bowfin at his back,
Herdin his black-faced yowes
An' the muckle ram.
Drivin his hung-tec tractor
(He caa'd it a hotterin hoor)
Thirled tae the lan';
His jaicket, wallopin wide, aye knipin' on
Jug-luggit, bool-eed
Wi' a saft, sappy grin.

Through the rigs o' the dark, ye wad hear it,
His whusslin', whusslin'
Nae thocht in his noddle that didna cry 'baa',
His puckle yowes, an his bik
Wis the sum o' it aa.

Coorse grun he fairmed,
A byword for skyllich an' heather,
His ramshackle toon
Bore the brunt, an' the dunt o' the weather,
Faar only the muir-girse wid thrive,
The ploo neither rug nor rive,
The rodden mair deid than alive,
His steadin' half-buried in breem,
Aye ahin wi' his work,
He wad lowse by the licht o' the meen.

'Twis the bik that bowfed the news —
A lang skirl that jeeled i' the win'.
Its maister, forsakin' his flock,
Tied the tow neth his chin,
Syne, lang-legged, jug-luggit Tam,
Threw ower his staff, and his stock,
Wi' a whussle, a spit and a damn
Takkin leave o' them aa, like a lamb.

Balmennie's Nell

She'd a lip wi' a mowser,
Balmennie's wife Nell,
Wi' a tongue that gaed clyack
Like the hammers o' Hell:
A pirn-taed obstreperous deem,
Wi' her dander sae easy caa'd up
Like the stoor fae a breem,
An' her grumphin an' girnin'
As sharp as the stob o' a preen.
She wisna a belle —
Far frae it — a clort o' a quine,
Wi' jist the ae suitor, Balmennie himsel'.
Bit she suited him fine.

'For certes' quo he, 'beauty bides bit a day,
Afore that ye ken it, ye're auld an' ye're grey.
Nell rises wi' me, taks her turn in the byre,
Syne redds up the kitchie an' kinnels the fire.
Na, Venus is bonnie, but fickle an' fikey.
She'd nivver consent tae be filin' her nighty
B'herdin' the nowt in the park.'
An' here he aye paused, wi' a lauch an' a leer
(Bit whispered it saftly, lest Nellie could hear)
'Ye ken the auld spik?' — an' afore ye could speir —
'It's as sure as the birk tree is happit wi' bark,
It's been true since the day they walked oot o' the ark;
Be they plain as a spurgie, or lissome's a lark,
There's nae muckle odds fin they're happit b' dark!'

Miss MacBrodie

Hard on the meenit-heid
She snibs her buik,
Her schule-marm suit
Sterch'd stiff in Bible black,
Nae fripperies o' stertlin' fite
For the bairns' distraction...
Perjink..'Ye'll write yon oot again',
Skeely at the frozen wird,
Repression's proselyte.

Dreams ding doon the paragon
At nicht, agin her single-markit barreness
A black bull snorts foriver at the gate
An' cloven-hooved rampages
Ben the byewayes o' her laneliness

Neist morn, pink cheekit,
Pittin on her Sabbath face
Miss MacBrodie, spinster o' the parish,
Primly doupin doon within the pew
Adds her collection meekly til the plate,
Prays fervent for a minor miracle:
Nae burnin' bush, nor movin mountain —
Only a blythe bed, an' a sturdy mate.

A Stone by the Spittal of Glenmuick

Bonnie muirlan' stane
Egg-nestled on the grun',
A tear-drap, neth the air,
Salmon-speckled cone
Rarer nor ony pearl,
Gin I could unsteek ye,
Keek at yer core
Whit ferlies wid be there!

Born o' win' an' fire
I' the deid langsyne,
Dung frae the dark intimmers
O' this birlin' warld,
Cweeled by frichtsome cauld,
Ye've seen sic mervels — auld
Hairsts o' pathless pine,
Crofts, yalla corn-lan', dwined
Doon till the bare peat;
Caa'd nae man maister —
Laird o' the brae's beat.

Mormaers o' Mar
Were as a teuchit storm.
Ye've mail agin the hail o' ony spate,
E'en Huntly wi' his tow-rag retinue —
Ye gaed yer ain gate,
Keepit yer ain estate
I' the dowie dew.

Passed, like a sma' simmer:
Drover, crofter, smuggler,
Sodger that stood the shak o' war,
Blawn-leaves, i' the win'-trimmer.

Bonnie muirlan' stane —
Siccar shard o' mountain's bane —
Hid ye the tongue tae spik, the braith tae tell
I'd listen till the Crack o' Doom itsel'.

GEORGE BRUCE

Born in Fraserburgh in 1909, George Bruce studied at Aberdeen University and was a teacher in the English Department, Dundee High School 1947-56, was a programme producer and later talks producer B.B.C. 1956-73, First Fellow in Creative Writing at Glasgow University. His poems have been published in book form from 1944 to the present day and in 1985 he was Visiting Professor at the University of North Carolina, the latest of several Visiting Professor appointments.

Seaman, Rider and Poet
[From 'Camelias in the Snow' written for Duncan Glen]

When I was a boy I used to watch a skeely man
stand easy, hands in pooches, on a slopin deck,
that near the slappin watter that I thocht
the boat would coup. Nae odds tae him the heavin swall,
his boatie ran on the rhythm o the ocean as she slipt
doon frae the heicht o the wave intae auld Faithlie's basin.
The picter bides, cam back tae me three year sin noo
in Arizona, when oot ahint a muckle desert rock
in mornin sun, black abune the lang horizon line,
distinct in yon clear air, I saw a rider, slow an easy,
movin on till oot o sicht; syne cam evenin licht,
he's back movin as gentle as the boat rocks in calm sea.
Watchin that skeely body, legs an thighs pliant
tae the saft sides, his haill body swack, I lookit close —
'Nae saddle!' He tellt's he'd come gey near a thoosand mile.
His reid mustang was thrawn and jibbed at's bit,
would hae nae leather wechts on's flesh, but took the sun.
I saw him 'gin that big, tuim sky an that bare land —
waur nor Scotland.

Something atween man and boards o boat and watter,
Something atween man an beast an yirth,
worked for, an waited for, in good hairt, was richt.
An sae it is wi his in words an line.
Yet something mair's required, some extraordinar jump.
This past December in Edinburgh toun
I saw in snaw camelias bloom.

Urn Burial
[In Memoriam to the Scots Tongue]

It wis hardly worth peying for
a casket,
the body wis that peelie-wally,

nae bluid in't
luikit like a
scrap o' brown paper

papyrus mebbe?
nae gran eneuch
for that,

but there wis some gran mourners, the
Editor o' the Scottish National Dictionary,
Heid o' the Depairtment o' Scot. Lit.,
President o' the Burns Federation,
President o' the Lallans Society,
President o' the Saltaire Society,
a' present in strict alphabetical order
an'
ane/twa orra Scot Nats.

Syne cam a fuff o' win
an' liftit it oot o' the bowlie
an' hyne awa,

a wee bird sang.

Dew dreep't
on the beld heids
o' the auld men
stude gloweran
at the tuim tomb.

'She's jinkit again,
the bitch!'
said the auld man wi' the spade.

Thochts on Rembrandt

1. In Age: Self-portrait in the National Gallery of Scotland

He kent as thae een lookt at his
oot o' the dark he made in yon picter,
he lookt on a man, himsel, as on
a stane dish, or leaf faa'in in winter,
that calm was his strang souch.
But in that dark twa wee lichts,
een that shone like lit windaes,
an in that hoose muckle business,
words an kindnesses atween folk.
Aa that steir in Rembrandt's heid,
or, as some wud say, in's verra saul.

2. Woman pitten back Nicht — 'A Woman in Bed' by Rembrandt

Risin on an elbuck frae the box bed
wi rumpelt claes on't, she lifts,
on the back o' her forearm, the fall
an lets the licht luik in, syne steps
so's to catch up wi a new day.
He sees her, thinkin, 'Wife — nae bonny,
but sonsy, strang,' syne luiks again
an what he sees he puts in paint.

Noo a'body gangin by yon woman
in the picter maun stop an luik again,
for yon was first-licht he saw
on her broo. He made her
as love traivelt thru's ee til's haun
an intae thae merks on a bit canvas.

3. As Rembrandt Saw the Nightwatch

Dab hauns at the money gem, he thocht.
'Mind the step, Maister, as ye gang ben.'
They cam in tae get pentit, bleat wi pride,
padded burghers — ('burghers, did ye say?
Weel, let it staun at that the whiles.')
Rembrandt gets on wi the wark. Ootside
they're for hame, ilk ane still dressed
tae the nines, siller buckles on their shuin,
ruffs whiter than a swan's down feathers.
An sae they felt — as pure as snaw,
till hame, an' bed, sarks aff, breeks aff.
They weemen's nae doot the stuff they're o'.

They haud their gab forbye, but Rembrandt kens.
Ilk ane for what he was, he kens, nae foozlin
him, but he kent tae they micht be waur,
as weel as better, sae he pentit them,
nae naukit tae the bane, was he no a man
himsel, nae starkers, but **sympatico**
but nae eneuch tae please his maisters.
Na, na, this was 'letting the side down.
It wasn't cricket. Wasn't the man being paid
good rates for the job.'

This day three hunder year
sin syne, or mair, they glower, or peek, or luik
oot o' their dark, or raither Rembrandt's dark
wi licht i' their ee. Was that no eneuch
to be alive as that, while we lie doon
nicht by nicht in oor benichted sauls:
nae sun, nae stars abune, nor mune,
encapsulate in concrete, or airn or
God kens whit, waitin for thc nameless
finish.

Would that Rembrandt or God would luik
wi seein ee intil oor ee that yet can tak
an gie a little licht — the Licht itsel, mebbe.

Scots Haiku
[On the completion of the Scottish National Dictionary]

Noo a' thae words
are in their tomb
whan will be
the resurrection?

Ae Nicht Fire-Bleeze
[In Memoriam Barbara Hepworth 1903-1976, who died in a fire her Cornwall home.]

Night. Nicht. Wha's?
The nicht was hers, her
that strung strings athwart the rock
tae mak dumb mass gic sang.
Then, thonder ae nicht fire-bleeze,
a lowe on the warld's rim, a sun
that ate the doors o' the wast
ridin the watters, takin
till its end humanity.

Them that kens that kens a'.
Was't no eneugh tae sign her mortality
in veins ridin the skin, blear een,
crevasses dug in her broo, an wyte,
gien her ae last chance tae geck
at winter tree an mak it bleeze
wi spring in'ts form, her takin't
frae Natur tae gie it tae oor natur,
so's when we look't the floors look't
oot anew. She took stane o' a' kind,
mairble — black, green, Parian, white
alabaster, ironstane, pink Ancaster
stane: the wuids — red-wuid, rose-wuid,
sycamore, African black-wuid, beech-wuid
an a' ither tae uncover in theirsels
purity in essence. But she's nae here tae
tell the tale in daith is life, in lumpen licht.

But noo I look on the Burnet rose,
a composition in white mairble,
ilk petal a marvel o' precision,
touch, ilkane as saft as flesh,
an scentit sweet an shairp. Stare
on this white that's cream.
The floors float in air,
the roots trail in aneath the rock,
traivellin in the bank tae get a haud —
o' yon yird that's Scotland,
tae sook watter an iron mell't
thegither, an syne stravaig
the pooer o' life alang thae veins
til oot intae the peelie-wallie sun
that we've brewed up in Scotland
tae mak dae for the real thing.

Noo, when she in Cornwall
coost the clean shape o' things
in truth, was't no for his tae,
for aabody, as when yon rose
gies sheen tae oor pit-mirk,
that's sae for her, an his, an a'.

Single Ticket: Edinburgh-Bennachie

'I made up ma face to gang oot
but I made up my mind to stay in,'
she said. Help! Page a psychiatrist,
or a poet or a fiction writer or an architect,
or a Scottish stock-broker. 'Well, hen,' says
the stock-broker, 'what ye need is an entrepreneur.
He can go between, and I'm the very boy for that.'
A passing Professor of Linguistics remarked
there was a distinction to be made between
the use of 'made up' with respect to the face
and the mind. The fiction-writer said:
'Who done it? It's a whodunit. Who made up
her mind? Who was in the house at the time?
It had green shutters and there was a father.'
The mathematician said it was an 'unresolved equation.'
The architect said: 'It is a question of room space.'
The poet said nothing. The lecturer in linguistics
returned to say the problem was linguistic.
Was she Scottish? Was she English? She was
the split product of a split nation.
'Mass schizophrenia,' said the psychiatrist.
'incurable, terminal.' ('The Scottish antisyzygy'
murmured the poet, but nobody heard.) 'And
there is no dialogue between the personae!'
'An fa's speakin,' says Ma breengin in
fae ooter space, jist as the conversash
is gettin hetted up. 'Naebody's speakin
tae naebody. An neen o' ye is gyan tae hae onything
tae dee with my dochter. She's comin stracht back
fae the back o' Bennachie, wi her Ma, faur there's
nae personality nor linguistic problems.
Faur Natur rins the burnie tae the sea
wi'oot let or hindrance, faur naebody
maks up their faces, an aabody's
made up their minds lang syne.'

Chopin at 10 Warriston Crescent — 1848
Alicia Danuta Fiderkiewicz — 1974

It wis the cauld that gat ye,
and yon twisty stairs; you sclimman
like yer hert tae burst,
Everest wi-oot oxygen tae you —
syne at the tap, the piano
an ootside leaves gan heilster-gowdie.
Ye were fair connach'd,
or sae we thocht, but some pooch
in yer hert had virr that ettled
tae win oot, an did, in your fingers
till thon hoose rocked in your thunner.
The siller leddies, hauns in their lap,
gied naething awa; the gents
lookt like stookies (and mebbe were)
but you soon't oot a rooms an ha's
an ower a' watters tae Europe
an across the plains wi snaw
whaur merched the Poles, an
puir folk wi a their wardly gear
upon the roads — thae refugees,
then an noo. An so's your music
then an noo in a lassie's fingers,
makin sic steir, the air tremmlan,
speakin your leid, your folk's leid,
an oors, a wha bide haudin
tae themselves, that benmaist thing
that dwalls, waitin for the kinlin
till the spark loups at the hert.
Then a' the trash o' the warld's
forgot, a' the riff-raff wi naethin
in their heids but the neist kick
o' the ba that lang syne's burst.

'Tak hert' says your sang. 'The snaw
tummles on Scotland and you're awa.
Maks nae odds. I'm in that sang
that soon't yestreen, the day,
an will dae the morn an a'.'

Chopin stayed at No. 10 Warriston Crescent during his last recital tour in Britain before his death in 1848. Alicia Fiderkiewicz was the first pianist to come from Warsaw to play in the Chopin circle in October 1974. This occasion (says George Bruce) caused me to write a poem in English about Chopin. Five days after writing the poem, at 3am, I sat up in bed and shouted 'It was the cauld that got ye.' Five days later at exactly the same time, and on or near the date of Chopin's death, I awoke and again shouted the same words. My wife asked me to get up and write the poem. The poem in Scots differs from that in English.

Scots Bard

He wis taakin his breeks aff
whan the thocht cam
in til's heid
tae scrieve
a beootiful pome
in English o' coorse.

On the Roads

[This poem, with its special topicality because of the famine in Africa springs from a memory of the dumping of thousands of crans of herring in the poet's childhood.]

Little children
walk
in their bones
on the roads.

Hump-backed
wi her creel
the auld wife cried
'Herrin, Herrin!'

An the skipper said
tae the auld wife:
'There's ower mony herrin
in the warld. Pit them

back til the ocean.'
And she did.
'Ower mony herrin
in the watter.

There's nae eneuch bellies
in the warld to feed.
Gae back tae the sea
Ye auld wife.'

She cam oot the sea
and she went back
intil't cryin:
'Herrin. Herrin!'

An the deid herrin floatit
on the watter.
Says the man that kens:
'Stop huntin thae herrin,

There's nae eneuch herrin
in a' the seas
tae feed thae folk
on the roads.'

Dust in a dry wind.
Hard in soft mouths.

PETER BUCHAN

Born at Peterhead on January 6, 1917, Peter Buchan went straight from Peterhead Academy to sea and was fishing from 1933 to 1939. He spent the war years in small craft around various naval bases from Sheerness to Scapa Flow. From 1945 to 1961 he fished with seine net, drift net and lines. From the wheelhouse he went to Crimond Secondary School to teach maths. and geography. Then for 11 years he toured the country as sales rep. with an oil firm. One year was spent in Cleveland Twist Drill factory at Peterhead, then seven years as one of four marine traffic controllers at Peterhead Harbour, retiring in 1982.

Leebie

I couldna spell. I couldna coont past twinty,
Nor could I read unless the words were sma',
I couldna name the highest hill in England,
For maps were things for hingin' on the wa',
I couldna mind a date nor place a battle,
And so I was 'The girl who was no use
For any earthly purpose whatsoever!'
So said yon primpit craitur, young Miss Bruce.

The years hae flown, the aul'er aye the faster,
The kings and queens, the battles are forgot,
I've kent this fyle the highest hill in England,
Tho' learnin-wise I hinna gained a lot.
But I've my man an' fower bonny bairnies,
A happy home far some folk hae a hoose:
An' sometimes, when I think hoo I've been guided,
I greet for yon peer craitur, aul' Miss Bruce.

Shift o' Win'
[Conversation Piece]

Watch — 'Hey Jock! Watch oh!
'S twal' o' clock!'
Reply — 'Right oh!
Hoo's e' win'?'
Watch — 'Nor' wast,
Mak'e tay — ee're last!'

Watch — 'Hey, Skipper!'
Skipper — 'Fit noo?'
Watch — 'Sky's as black's a wolf's mou!'
Skipper — 'Hoo's e' win'?'
Watch — 'South-east.'
Skipper — 'Govey-dick, fit neist?'

Skipper — 'Ho-ro lads, turn oot,
Seems 'e win's geen roon aboot!
Gless's teen an aafa fa'.
Think we'd better haul awa'!'

Cook — 'Gaun to sea's nae eese;
Sure as daith there's nae peace;
This is jist a job for feels,
We'd be better twistin' dreels.'

(Note — Cleveland Twist Drills opened a factory in Peterhead in 1956).

Hairy Tatties

Bring me a ling fae the Viking Bank,
A tusk fae the Patch or the Reef,
Or catch me a cod on the Buchan coast
An' I'll greet nae mair for beef.
Steep her in saut for a three-fower days
Then dry her slow in the sun
In the month o' May, when the safter win's
Bring the green growth up thro' the grun'.

Bring me a bile o' the finest Pinks
Fae a craft on Mormon' Braes,
At the tail o' the hairst, when the first fite frost
Tells a tale o' winter days.
Peel them an' bile in a fine big pot
Wi' my bonny fish in anither;
Bree them baith when ye think they're richt,
Then ye'll chap them baith thegither.

A knottie o' butter an' a glaiss o' milk —
Ye've a feast that's weel worth a Grace;
Then waste nae a meenit as ye fill your speen
An' stap it into your face.
Bring me a tusk fae the Patch or the Reef —
Fae the Viking Bank, a ling;
Or catch me a cod on the Buchan coast
Then I ken I'll dine like a king.

Craigewan

Paice-aiggs bricht on the yalla san'
  In the pale clear sun o' Spring,
Young heids bent in a kysie search
  'Mon the rocks far the limpets cling,
Lang fine days wi' their happy ploys,
  An' bare feet rinnin' free;
The lilt o' win' throu' wavin' girss,
  An' the strong clear call o' the sea.

Lad-'n'-lass traivlin' airm-in-airm,
  Owre the bents on a simmer's nicht,
Sweir t' ging hame, like a' thwir kind,
  Tho' the sun's lang oot o' sicht.
The cry o' a whaup at the watter-mou',
  An' the smell o' the tangle-bree;
The whisper o' win' throu' quiverin' girss,
  An' the low saft sang o' the sea.

Oot-win, caul wi' the threat o' rain,
  Or it micht be wi' grey sea fog,
An' fa's on the bare grey bents the day
  But an aul' grey man wi's dog,
Traivlin' the aul' paths, hearin' soun's
  O' the days that eesed t' be
In the sough o' win' throu' shiverin' girss
  An' the dreary dirge o' the sea.

Ye Widna be Sellt!
[For a Special Day]

Were I a poet, lass o' mine,
    I'd snare the crescent moon
And set it in a bonny line
    To rhyme wi' rose in June;
The proper bard pits flooers an' birds
    In sangs o' love, that's true,
But lass, I dinna hae the words
    To say sic things to you!

Were I to whisper 'Precious heart!'
    Ye'd think I wisna weel!
Or, did I mention Cupid's dart,
    Ye'd say 'Ye great aul' feel'
A fancy card I micht hae bocht —
    'Twid been an easier plan,
But lass, ye're worth a sweeter thocht
    Than verse that's second-han'.

For mony a year, for mony a mile,
    We've sodjered on the gither;
Could words that made oor bairnies smile
    Nae still delight their mither?
Then harken close my sonsie lass —
    Fit better could I tell ye?
'Tho' moons an' Junes awa' may pass,
    Ye ken I widna sell ye!'

(Note — 'Ye widna be sellt for a thousan' powen' — endearment normally reserved for bairns).

Far Are They Noo?

Far's a' the happy loons that played aboot Raemoss
Or smokit secret tabbies oot o' sicht in Doctor's Close?
The loons that made a rocky-on to try an' beat the tide,
Or played yon kind o' fitba' far there's twenty-five a side?
The loons that ran the billy fin the herrin' fleet wis sooth,
An' for the sake o' tuppence aye could magnify the truth?
Far are they noo? Aye! Far are they the day?
The Queenie loons that rode their sledges doon the wally Brae,
The Sooth Bay loons that didna care tho' mithers gied them jip
For reestin' stolen speldins in aneth the Lifeboat Slip.
The wild an' gey ill-trickit loons that bade in the Ronheids,
An' Buchaners on the warpath, swingin' tangles roon their heids;
The fisher squad that had at times a rowdy wye o' playin',
An' toonser lads that had, nae doot, some capers o' their ain
Like rinnin' wi' their sheen on close ahin the water-cairt,
An' comin' wi' a story that wid brak a mither's hairt.
Far are they noo? They've surely flown like birds,
An' teen their peeries wi' them an' their strumperts an' their girds
An' far's a' the lachin' quines that plowtered doon the braes
An' gaithered dally's cleysies on the bonnie simmer days?
The bonny quines, the plain quines, reid-heidit, dark or fair
That skirl't 'At's tell't 'e teacher' if ye tried to rug their hair,
The quines that chaulkit beddies at the tap o' ilka street,
An' skuffled at the steenie till the sheen wis aff their feet,
The quines that sang like linties as they played their merry games
Wi' jumpin' ropes, an' wyin' weichts, or bonny coloured lames.
At nicht aneth the lamp-post, they'd be singin' wi' a will —
'Ten o'clock the gas goes oot' or 'The Lass o' Richmondhill.'
Far are they noo? The place is nae the same
Athoot them an' their 'fairmer's dog, an' Jumbo wis his name.'
Far are they noo? There's some that's hyne awa'.
An' some that's nivver even thocht on leavin' hame ava.
But whethir they be owre the sea, or still a-tyauvin here,
Let's wish for them an' a' their bairns, a happy gweed New Year.

The Win' in 'is Face

Some folk get the win' in their face
A' their mortal days,
Fine div they ken the desert place
Wi' its dreich an' craggy braes.
Theirs is the world o' trauchlin' thro';
Theirs is a dour grey sky.
For the sunny spells an' the gentle dew
Seem aye to pass them by.

Some folk get the win' at their backs;
Theirs is a lichtsome birn,
Wi' nivver a flaw in the fine-spun flax
They draw fae the birlin' pirn.
Theirs is the world o' fill-an'-fess ben,
Theirs is a bricht blue sky.
For the caul' roch shooer that weets ither men
Seems aye to leave them dry.

Some can smile in their weary lot
Altho' the fecht be sair;
Some hae aye the greet in their throat
Tho' they've neither cark nor care.
Keep 'ee the chiel fae the sheltered place
Wi's hert as caul' as a steen,
I'll tak' the lad wi' the win' in 'is face
An I'll hae a better freen.

FLORA GARRY

Born in 1900, the daughter of Archie Campbell, Auchmunziel, New Deer, widely known as 'Buchan Farmer' to readers of 'The Press & Journal' and his wife Helen, also familiar as a writer and broadcaster, Flora Garry, who taught English at Dumfries Academy and Strichen Secondary School and married Robert Campbell Garry, Professor of Physiology at Glasgow University, did not begin publishing her verse until late in life but her collected poems 'Bennygoak and Other Poems' (1974) brought her instant recognition and she is now acknowledged as the outstanding poet practising in the North-East Doric.

A Maitter O Status

Jean Haggerty weesh at the Curnel's
An cleaned to the minister's wife.
She wis een o the village heid bummers
The better pairt o her life;
A weeda umman, fresh an swack,
Jinniprous an genteel,
A pillar o the Guild an Choir
An the W.R.I. as weel.

Jean hid a loon ca'd Davie.
He'd a lang e'e at Kate Wull,
A tow-heidit, hallirackit deem
Fa vrocht at Gillespie's mull,
Made broth at the mairt an Aikey,
Took days at the hairst an hyowe
An wis aye on the haik for a hyse or a claik
Wi the chiels at the pub in the Howe.

A'body kent Dave's midder
Hid nae eese ava for Kate,
So finiver merridge wis mentioned
Jean pat her fitt doon the richt gait.
It wis jist a maitter o status,
The twa weemen war wardles apairt —
The Help at the Manse an the Curnel's,
The quine fa skudgt at the mairt.

Nae mair wis h'ard aboot it
Till a whisper gid the roun's:
('Davie? Nivver! Yon clip Kate?'
'Fa wid thocht it, him sae blate!'
'Hame or daylicht, toozlin's bed?'
'Jean! The price o 'er, bigsy ted!')
Some glowert an preserv't themsels,
Idders blusht an blinkit,
Some in boorachs roun' the doors
Snichert, swore an winkit.
Deems gyaan eerins to the shop
Nivver wan the linth o't.
Grippie fairmers at the mairt
Steed their han' on the strinth o't.

Bit a' grew ees't wi't seen aneuch.
Finiver the dark cam doon
The lad wis ben the mason's lane
An up to the heid o the toon.
Wifies in safties, snibbin back-doors,
H'ard him an' mummelt: 'Peer sowff!'
An' the cadger's bikk wis ower weel acquant
To badder eyven to bowff.

Or the bailie at the dyrie
Hid sneckit aff's alarm.
Or the baker for his mornin baps
Hid mixt the reamin barm;
Lang or the mull-toon cock begood
To hirssle on his reest,
Or the Fit Horse upo' Mormond raise
Throwe the sea-haar i the east;

Come sleet or drucht, come smirr or snaw
Dubs or styoo or slidder,
Dave wis hame an toozlin's bed
An fessin in peats tull his midder.

He wis fyles a thochtie short in the trot
An sanshich in his mainner,
Gantin half wye throwe the foreneen
An needin a flap efter's denner.

First cam a lassockie, neist a loon,
Pows war shakken sair ower Kate.
Bit han's war putten in pooches syne
To help wi hippans an maet.
Some ca'd them Haggerty, some ca'd them Wull,
The teen wis as gweed as the tidder,
Though the nackets war scuttert-kin', fyles, at the skweel,
Wi nae fadder, an Kate for a midder.

At the linth an the lang Jean slippit awa.
Watchie Wicht spak for's a' on the maitter.
'Her? I've kent i ma time a curn far coorser folk
'At I've likit a dassint sicht better.'
In twa-three weeks the speak gid roun' —
Claik's aye easy cairriet —
'At Dave an Kate, come Mertinmas,
War quaetly gettin mairriet.

Pleased? Fint a fears! Folk humft an glumft
Wi faces maist funereal,
Thraa'd their moos, lat doon their broos.
Merridge? Mair like a beerial!
Yon dressmakker bodsy, fa'd nivver a lad
An wid nivver see fifty again,
She peakit an grat an said, dichtin her een:
'Ech, 'twis shortsome, his fitt i the lane.'

We'd a' a saft side tull yon twa,
They'd brichtent wir toon sae lang
Wi a fine bittie scandal, a touch o romance.
Fa care't fit wis Richt or fit Vrang?
Fine, noo, at an umman wis gettin her dues
An her femily dacently faddert,
Bit quo' wee Watchie Wicht, wi a haach an a spit:
'Tyaach, at their age, fit nott they 'a' baddert?'

Snow and Sea
[An old fisherman looks at Joan Eardley's painting]

Ca' yon wir shore-road? Mair like sitt-black coo-branks
Haadin again yon loupin beast the sea.
Ca' yon snaw-vraithes? Runkelt yalla hippens
Happin the bents an' the lan'ward ferm country.
Yon a shoo'er? Feerious birlin sleet-raips
Twinet b' the heerican's thraa-crooks i the lift.
An faar's wir fisher toon? Ae lum, ae gaivel
Blinterin throwe blae watter an smore drift.

I ken't a' richt. Ower weel. Nae picter nott.
On sic a nicht the Nellie Gatt gid doon
Twa mile aff Dunnottar an took wi 'er
Sin an brither an a sister's loon.
Anidder nicht — Na! Na! I'd nivver daur
Gie yon hoose-room.

I steed the dirl, umman, lang or ye vrocht pent.
Shoodert ma birn or ye kent meen fae starns.
As weel frame a swatch o ma ain harns,
Set hert's bleed on ma mantel-piece for ornament.

Awa! Aul' folk like me
Fain wid be latten be,
Wir warsslin ower.
I'll sit i the lythe door, the blue air
Thocht's tide slack, at ease,
Simmer's kin'ly han' upo' ma knees.
Upo' my wa' a calendar or twa,
A joug o jassamine,
A kittlin clockin at a cloo,
A littlan
Laachin.

The School at Cairnorrie

Dear Cairnorrie loons an quines,
Although I'm hine awa
Doon sooth amon the Perthshire hills,
My thochts are wi' ye a';

An wi' the school upon the brae,
This nicht ye're celebratin
Its lang life-time, a hunner years,
Weel worth commemoratin.

I'm thinkin, tee, o' anither school
Lang seen oot o min',
An my Grandfather fa bade wi' us
Fin I was a little quine.

I'd aften clim' up on his knee,
Sayin: 'Grandpa, tell's a story
Aboot yon time fin ye was a loon
At the school at Cairnorrie.'

'Weel, lass,' he'd say, 'it was naething like
The kin' o' skweel that ye ken.
It was jist a thackit hoosie,
A sma', dark but-an-ben;

Wi' an earth fleer an' a hingin lum,
Peat backets in the neuks,
An' hens reestin on the cupples abeen
The scholars at their beuks.
An' we jist had ae teacher body.'
'Did she lick ye?' I wid speir,
'Och, she keepit a spurtle handy
Gin we made ower muckle meneer.'

'Fit did we learn? A' that we nott.
The Three R's, the bare beens,
An' the Psalms an' the Shorter Catechism
On Setterday foreneens.

Foo mony miles? Three lang miles
I trudg't throwe moss an' mire,
A piece in my pooch, a peat in my han'
For the teacher wifie's fire.

But ach! I thocht naething aboot it.
I was young an' swack ye see,
An fae ferm toons alang the road
I'd plenty company.

Auchmaliddie, Middlemeer
Were never short o' folk,
An' aye a squad o' littlins cam
Frae the crafts on Bennygoak.'

'Twas fine to hear the aul' man speak,
To hearken till his story.
'Twas livin in anither warl.
I think I was sometimes sorry
They'd sent me till the school at New Deer
An' nae till Cairnorrie.

I'll leave ye noo this happy nicht
Although I fain wid tarry.
Lang may the licht o' learnin lowe
On Cairnorrie's windy knowe,
May a' your future days be bricht
Is the wish o' Flora Garry.

Village Magdalen

Yon wis nivver a wird to lichtlify,
'Hooer o Babylon', bleed-jeelin, Bible
Wird o pooer, stern, magic, tribal.
Deleeriet drunks wid lift it, fechtin mad,
Or halflins swicket b' some mim-moo'd jaad
An hotterin i their ain young hell;
Bit nae afore a bairn, nor tull a beast,
An nae tull Bell.

She bade in a bothy doon Steenybrae Lane.
She'd a yard an a stackie o peats,
A rain-water bowie, a lang hippen-towie,
An aye the aul' coach an the smarrach o geets.

Hushelt intull a man's cassen waterproof cwyte,
An a pair o hol't tackety beets,
An humfin a pyockfu' o tatties or meal,
Or a birn o rozetty reets,

Skushlin ben the dutch-side, her milk flagon in han',
Dyl't-lookin an worth i the queets —
Michty, fa'd lie ben the bowster fae yon,
An fa the earth faddert yon geets?

She wisna a' come, said some. That's as may be.
She wis washin' ae day at Burngrain
Wi yon muckle massie on. Burnie's wife scraichs:
'Lordsake, Bella, nae surely again?'

An says Bell, wi a dour kin' o thraa tull her moo,
A' the time timmerin' on wi the sheets:
'We canna jouk fit lies afore's. It's jist Fate
At's geen me a' yon smarrach o geets.'

Pooerfu', barritchfu wirds hae thir time an place.
Bit less preceesion fyles may meet the case
An dee less ull.
Better a kin'ly gley gin a dirten glower.
Easier to cower.
Sae ca' her sleekit, saft, a throwder baggerel.
Bit hooer? Na, nae Bell.

Sweet Cicely

We caa'd it myrrh. It cam at the bare time
O lang blae licht an broon new-shauven ley,
Skwylin teuchat, reek o burnin growthe,
The caul' Gab o Mey.

Throwe June's lown days, ower craft an ferm toon
In floo'erin froth its soun'less green tide broke,
Happin trails o weer an clooert pails,
Roosty speens an sma' bleacht birdies' beens,
Wallydraigle Winter's orra troke.

A' Simmer chucknies pickit in its shade,
Dyeuks laid awa an cats their littlins bade,
An quinies, biggin their lemm hoosies, raxt
To pu' the sappy, feddry leaves an snuff
Their wersch-sweet guff.

Cam clyack, rummlin cairts, the hairst meen.
Stilpert myrrh stalks bore their tines o seeds,
Stumps o shammelt teeth in aul' men's heids.
Syne it wis dark or lowsin-time.
The myrrh wis geen.

Bit ae black, bitter nicht i the year's deid thraa —
Nicht o Redemption, the Nativity —
A waukrife littlan raise an, teetin furth,
Saw aneth a nyaakit elder tree,
Lowein i the licht o nae earthly Spring,
The myrrh fite-floo'erin for a Bairn-King.

Figures Receding

There's twa wyes o kennin —
Wi yer heid, yer rizzon an muckle respec'
For the weel-stored min';
Wi yer finger-eyns, yer instincts an yer een,
Lear o anidder kin'.

Charlie traivelt a staig,
They rampag't up the closs in cloods o styoo.
The sma' steens skytit aff the barn sklates.
Dogs bowfit, hens keckl't an flew.
Meers nichert i the clover park, took roun' the dykes,
The bairns war dreelt to the hoose.
The kitchie lass tichent her stays.
The gweed wife lat doon her broos.
A sma', reid-mousert chiel, I min', wi a mad look in his e'e,
Far ben i the Horseman's Wird.
Fin suppert he'd roar an sing,
The melodeon on his knee,
The Dowie Dens, Drumdelgie, Lang John More,
Syne mak' for the deemie's sleepin place wi'its open door.

Bit early ae day, efter Aikey Fair,
He wis gotten nyaakit ower by Mains o Glack,
Face doon in a dutch, a gully knife in's back.

Kirsty cairriet a pack an bade in a lair i the moss.
A toozy, sinbrunt wife in a tartan shawl,
Reengin the roads wi geets an a tyke at her heel,
Gabbin laich-in tull hersel an wadgin her neive
At her ain face glowerin up throwe Strypie's waal.
She swollat puddock steels,
Turn't horse hair intull eels,
Kent fit made yon oorlich skraichin souns
An the bobbin greenichty lichts
I' the moss on winter nichts.
An eence she saw the De'il
Skookin ahin a waggin black breem buss.

She dee't atween fite sheets, in her ninetieth year,
In a dother's Cooncil hoose aside Auld Deer.

Johnnie muckit the byre — a big fite-winkert man,
Slow, bashfu' amo' folk,
Bit see him calve a coo or drog a stirk
Or set a dreepin stook tull een o'clock.
He nott nae byeuks to read
The meer's tail cloods,
A neive-fu' o new-thresht corn,
Fitt-rot in a hirplin yowe,
Neeps ready for the hyowe;
Widder an beasts an lan',
The wark that lay tull his han'.

They say he's aye to the fore,
Some blin' an crulgie doon,
Gey dottl't fyles, bit chief wi a' the bairns,
An aye on the meenit heid, fin pension day comes roun'.

There's twa wyes o kennin,
Hiz wi wir heids, wir rizzon, wir printit wird;
Them wi their een, their finger-eyns, their midder wit,
Ootlins noo in a warl they widna fit.
Time canna rin back. They'll seen be oot o min'.
We winna see again folk o yon kin'.

Playin At The Ba'

'A common, a whirlie,
One hand, limpie,
Furlin-Jockie, everlastins.'
Fa'll play wi my ba'?

Faar'll we play, this Simmer day,
Up the closs or ower the brae,
Or in ahin the rucks o strae,
Faar'll we play wi my ba'?

Byre door, barn door,
Henhoose door, stable door,
Faar's a great big muckle door
Faar we'll stot wir ba', ba'?

Byre door's aul' an deen.
Watch yon nesty slippery steen.
The bailie's in a richt ull teen.
Canna play at ba' there.

On henhoose door we manna play.
We'd scare the hennies aff the lay.
The ganner picks. Feart? No, I'm nae!
Canna play at ba' there.

Stable door's caul an roch.
Horsies dyste their feet, an och!
Plash goes the ba' i the water-troch.
Canna play at ba' there.

Bit in ahin the rucks o strae
Faar the sin shines a' the day,
Upo' the big barn door we'll play,
Here we'll play wi ba', ba'.

'A common, a whirlie,
One hand, limpie,
Furlin-Jockie, everlastins.'
Stot-stot goes my ba',
Come an play wi my ba'.

Foo Aul' 's Bennachie?

'Foo aul' 's Bennachie? As aul' 's a man?'
Loon-like I wid speir, an leave my bools
A boorach in the kypie at my feet
An stan' an stare oot ower the darknin lan'
Ower parks an ferms as far's my een could see
To the muckle hill aneth the settin sun.
'Aul'er, laddie, aye, gin Man himsel.
Naebody kens the age o Bennachie.'

The years gid in. The bools were putten by.
Like mony anidder Buchan loon sin syne,
Rivven atween the De'il an the Deep Sea,
I swiddert faar to turn, fit road to try.
Hamewith, De'il o the ferm, wark's weird to dree,
The sizzon's quaet, slow-fittit tyranny?
Awa, Deep Sea o learnin an strange folk,
The oonchancy wardle furth o Bennachie?
Bit a' this time the hill wis company,
Pairt o baith my wardles, lookin doon
Sae freenly-like at ploo an hairst an hyowe,
Though aften, tee, a shape o fantasy.
Ararat, the Banks o Italie,
Soracte faar the drift lay oxter-deep,
Atlas, Athabasca, Helicon,
The mountains o the Moon were Bennachie.

Byeuks an learnin took me i the eyn.
Amid the big toons' fyaacht an dirdumdree
The Buchan parks an skies gid oot o min',
My dreams hid idder shapes gin Bennachie.
Ae simmer day, I clim't yon knowe eence mair
An lookit far ootower my ain country,
Ower dykes an steadins, trees an girss an corn
To the west, to the Mither Tap o Bennachie.

Bit smilin there, she wis nae pairt o me.
I wis a stranger chiel in a strange lan',
An ootlin wannert back by some mischance
To tak a teet at the place faar he eese't to be.
Foo aul' 's Bennachie? As aul' 's man?
Ageless, timeless she, the fickle jaad.
Lichtsome, hertless she, the bonny quine.
I've been ower lang awa. It's me that's an aul' man.

JAMES D. GLENNIE

James Glennie was born in 1930 and schooled at Bourtie, Whiterashes and Port Elphinstone. He left school at 15 to take up an apprenticeship. After various jobs he entered Aberdeen University and graduated M.A. with second class honours in history. He is now a teacher at Inverurie.

Sunty

Loon is his beddie
Hearin' ilka soun',
Speerin at his faither,
Een growen roun' —
Far did he come fae?
Fut dis he dee?
Foo can his reindeer
Flee owre the sea?
Fa maks the toys, Dad?
Foo dis he ken
Fut Jeannie asket
Tho' awa fae hame?
The lum's lang an' narra,
Fire's affa het,
Wid he nae be better
Comin' throwe the yett?
Sunty MAUN be magic
Tae win doon a lum.
Think ye Aa'll be lucky, Dad
An' get a muckle drum?

Doon By The Don

Doon, doonbye the bibblin' Don,
Its watters clear an' bricht,
I trysted wi' a bonny lass
Aneth the caul meenlicht

The lassie held me wi' her ee
An' gart ma hert tak flicht,
An' closser aye she cam tae me,
Een deep an' shinin' bricht.

Aneth the spell o' her bonny ee
Aa kisst sweet lips o' rose,
An' fan the sweet an' dewy breth
O' the lass Aa seen wid lose.

The lass growe'd caul an syne she spak
Fan the aul Kirk bell sh' heard:
'Aa maun awa ere skreik o' day
Tae the bonny green Kirkyaird.'

A saft silk clood gaed owre the meen
Syne shrouded watters sweet
An' gently took the lassie doon
Far Don an' Ury meet.

Doon, doonbye the bibblin' Don,
Its watters clear an' bricht,
Aa think aye o' the lass Aa lo'ed
Aneth the caul meenlicht.

The Mason Loon

Aa ken a bonny mason loon,
His name is Johnny Ghie,
An' aft he's kiss't me on the lips
An' said he'd mairry me.

Noo Aa'm jist a young bit lassie
An' ma maiks I hiv tae nurse,
Bit eence Aa'm wi' ma mason lad
I'll hae guineas in ma purse.

He said he'd bigg's a muckle hoose
Wi' paper on the wa'
An' gie me siller for the meal
An' a widden table bra'.

Laich the laddie fuspert
We'd hae bairnies twa or three;
Noo 'at wid make me happy
An' I'd dance them on ma knee.

He said he'd nivver leave me
An's hert wid aye be true,
An he'd buy silken ribbons
An goons o' saftest blue.

Noo Aa'm seer I'll get nae better
Than an honest mason loon,
So the chance I'll tak neist Friday
An' pit on ma weddin goon.

Bonfire Nicht

His heid a neep wi twa blin een,
His worset fingers teem,
His aul deen sark an holiet breeks
Stufft up wi strae an breem.

Bairnies laachin, dancin roon
The bondie burnin bricht.
Een shinin fou o deevilment
At the unco bonny sicht.

Sparklers, bangers, rockets tee,
Jaiks jumpin at thir feet,
An aye thon stuffed-up mannie's mou
Is grinnin throwe the heat.

The loons powk-powkin wi a stick
Shooer spairks up throwe the nicht
An fiery fingers furl an' bleeze
'Mid skirls o' feart delicht.

Bit seen it's by, an' aathing's derk
Wi bairnies beddit late
An dreamin o' thon burnin chiel
Aye comin throwe the gate.

Paradise Woods

Green reestlin girss an' lang birk trees,
Shady neuks an' saft warm breeze.
Broon leafy carpit, craaklin dry
An sma reed squirrel gyan dartin by.
The droozy soon o' cushie doo
Heard as the sin warms mornin dew,
The chirpin chaffie in the hedge,
The watter hennie in the sedge,
Tinklin Don gyan bubblin doon
It's hansel peys tae nature's tune.
Aye Paradise, weel name't, gin a body see't
Far Creator an' creatit meet.

In The Stable

On Christmas nicht Aa dreamt a dream,
Twis o' a stable bare,
An by the cruisie's gutterin licht
Aa hid a vision rare.
A Mither, Mary wis her name
Sat on a bucht o' strae,
An cuddlin doon aside the beasts
Her bonny littlin lay.

A gowden star wis owre His heid
An' een on ilka hand,
An' stannin guard wir Three Wise Men,
The richest in the land.
Aa saa the chiels in silken robes
Gyan doon on bendit knee
An hummle-like wi hans ootstretched
Haud oot gowd caskets three.

Syne Baby Jesu lookit up
Wi sadness in His ee
An Aa saa the sins o' man rin by
For aa eternity.
At skreich o' day the vision blurr't
An peace cam' wi' the licht,
Bit till Aa dee Aa'll ne'er forget
Thon oonwardly Christmas Nicht.

Craws

Awa craw, awa, awa,
Yir roon roch hoose big ticht
Tae haud a kirn o' carrion dirt
Mous gapin tae the licht.

Awa craw, awa, awa,
Flap flappin' on the grun,
Yir hoosie couldna stan' the dirl
O' Gamie an' his gun.

Awa craw, awa, awa,
An flacht yir rings nae mair,
For aft yir pintet shiny pike
Hae picket lambeens bare.

The Fisher's Luck

He caistet heich, he caistet laich
Bit aye the fishie ran o,
He tried the worm, he tried the flee,
Bit aye it wis awa o!

Syne cam a lass wi bonny een,
An' caist a spell upon it;
The fishie gaed a muckle loup
An' damn't 'at wis the eyne o't.

Tak tent noo, aa ye fisher chiels
An stay a wee yir fury,
An' chance ye'll meet a bonny lass
Far Don meets in wi Ury.

Night Scene

Caul meen sheds
Licht saft an' fite,
Hoppin' hare skirls
Anent weasel's ee
An' deadly bite.

Oolets hoot an'
Laich flee throwe the
Trees, an' sleekit
Moosies dee.

Distant dog barks,
Bats radar twink-
Twinklin' mixes wi'
The burn birblin doon
Far birk trees stan',
Sentinel, stark
Aneth the dark
Starry croon.

Freesty haar caists
Crystal spell owre aa,
An' capes time
In the mantle o' eternity.

DONALD GORDON

Donald Gordon was born in Aberdeen in 1921 and educated at Robert Gordon's College and the University of Aberdeen, where his first poems in Scots were written. He served in the Royal Artillery during the Second World War with a North-east Scottish regiment — in Normandy, the Low Countries and Germany, and was Mentioned in Dispatches. After the War he joined the Diplomatic Service. He retired in 1981 as H.M. Ambassador in Vienna and was awarded an honorary LL.D. by Aberdeen University in 1982. His book 'The Gangrel Fiddler and Other Poems' was published in 1984. Dr. Gordon died suddenly in 1985.

Long Journey Back

I'm scunnert wi the lotus days
An trauchled wi the heat
An I think on a land abune the win
Faur the day is roch an weet:
Faur the wild geese cry in a gurlie sky
An the rain is sweet.

I min me yet on a hard, thrawn land
Wi eident folk forbye
An a gangrel loon in an auld grey toun
Anaith a norlan sky,
Awa i' the mists at the edge o' the warld
Faur the great gulls cry.

Mirk the nicht, wi flauchts o' fire
Faur the lift is aa aflame.
In the win that blaws i' the hollow hills
Ye can taste the saut sea faem;
An I hear the roarin o' the sea
As I tak the low road hame.

End of Story

Jist haud yir tongue: for fat's the eese o' spikken.
A lang time noo, my lad, that I've taen tent.
Did ye nae think I heard the neebors' claikin'?
Oh, fine I kent!

The party's dane: then least said seenest mendit,
My gallus chiel. I doot it's ower late,
Sae tak yir leave, the dancin days are endit.
And gang yir gait.

I'll hae nae mair o tryst an lovers' meetin
That braks the hert afore the break o day.
Ye ken ye dinna like til see me greetin:
For Gweed's sake, gae!

In Thy Greit Mercie

For aa Jock Tamson's brookit bairns
We own Thy poo'er tae save:
Nae jist the Gweed and Godlie, Lord —
The coorse anes wi the lave.

Nae anely than, on those we lo'e
Let bounteous mercies fa'
Bit files upon yon cankert deils
We dinna lo'e at aa.

Auld Alliance

Fan ye need a bittie culture
Gie yersel a proper chance:
Activate the Auld Connection,
Hist awa tae Bonnie France.

Pit ECOSSE across yir windae
For a message til the fowk,
Lest the friendly Breton fairmers
Tak ye for a Southron gowk.

Aa the lassies font le topless!
O, la belle carrosserie!
Mind ye, though, ye'd nearly perish
Tryin yon at Bridge o' Dee.

O, the lovely haute cuisine!
Sic indulgence for yir wame!
Aye, it's definitely better
Nor the 'cairry-oot' at hame.

Dinna spik o vitticulture —
Michty fit a cairry on!
Yon's a cheeky little claret,
I cud go a goutte o yon.

Aa the time ye're learnin phrases
At the skweel ye nivver heard.
Nae tae ken the leevin language
Fairly drops ye in the merde.

O the bonnie past subjunctive!
Gies yir French a touch o class.
Dinna lose it: j'aurais voulu
Que se jamais ne passasse!

Mary, Mary Queene o Scottis
Rest in peace, my bonnie Queyne.
Nivver fret: the Auld Alliance
Even yet is deein fine.

A Land Fit for Heroes

I min on them yet,
Fan I wis a loon,
Chiels that wid sing
I' the streets o the toun.

Or chap at the door
An ring at the bell
Wi their boxes o spunks
An notepaper tae sell.

Decent-like men,
Short o a bob,
Doon on their luck,
Oot o a job.

Maist o them lads
That hae focht i' the War,
Gled tae win back
Fae the soss an the glaur:

Tae find naething changed
Aathing at hame,
The auld order past,
Naething the same.

They wis simple aneuch,
The doots that assailed them,
Nae divine discontent —
Jist the hunger that ailed them.

Cultural Revolution

As I gaed by the College Green
I spied a braw-like carriage,
A denty lass wis steppin doon,
Aa buskit for her marriage.
Quo I: 'Ye tak a Buchan lad? —
For O, but they are gallus!'
Quo she: 'You must be joking, Dad,
My love wis born in Dallas!'

As I tae Turra did repair,
I met this bricht young fella.
His breeks wis afa ticht, his hair
Wis different kinds o yalla.
'Aye, aye,' quo I 'ye'll wint tae fee
An see yir bairnies fed, man?'
Said he: 'Corn rigs is nae for me,
It's ile-rigs brings the bread, man!'

There's T-bone steaks in Aiberdeen,
Beefburghers in Stra'bogie.
Anither strike wis made yestreen,
Sae bring alang yir cogie.
Ae day, they say, 'twill aa be ower,
Bit nae jist yet, by gum!
Half-owre, half-owre tae Aberdour,
There's plenty still tae come.

The Shaws o' Academe

Remark the academic chiel
Fa's darg is nivver dane.
Observe foo he embellishes
the literary scene.

He's warslin wi his opus
(Or maybe opera)
Aa brawly annotated
Wi appendices an aa.
(Aye he suffers fae appendicitis).

Tae show he's a billie
O superior degree
He'll nivver dee wi ae wird
Faur he cud manage three.
(Brevity? O we'll hae nane o that!)

An fan he's said it ae wye
He'll turn it roon aboot.
He's great on illustration,
He'll nae leave nacthing oot.
(Selectivity? Fit's that ava?)

He'll fair exhaust his subject
Afore his wark is dane.
It's ill tae dae't in twenty vols:
It's waur tae dae't in ane.

Confirmed Bachelor

God hid made man, bit fan it wis dane
Wis feart he micht weary, jist bidin his lane.
There wis nae ither cratur wi fa he wis sib,
Sae God socht o Adam the lane o a rib
An made him a wife,
Aye, He madc him a wife,
A fine, sonsie deemie, a helpmate for life.

But wait or I tell ye; the best o intent
Is nae aye successfu in deein fat's meant.
Tae start wi, young Adam wis pleased wi the queyn:
They kissed and they cuddled, an likit it fine.
Bit man, she wid blether,
My faith! She wid blether.
Puir Adam wis near at the end o' his tether.

Anither thing tae: the laddie seen cam
Tae see she wis ettlin tae play the grand dame.
As the autumn drew on, wi a nip in the air,
She keepit complainin she'd naething tae wear.
Fan he vrocht in the Gairden for oo'ers an oo'ers
She'd be pickin his aipples, an pu'in his floo'ers.
Richt discomfitin thon.
An he felt a richt feel
Fan he caught her conversin wi serpents as weel.

Sae he said til the Lord, that fan aa's said an dane
He'd be far better shuited jist bidin his leen.
For efter an aa,
Aye, efter an aa,
He wisna that keen on a helpmate ava.

The Lord jist acceptit the hale situation
Though he kind o regrettit the end o creation.

The Resurectionists

In Embro toun, ae nicht, they say,
A puckle braw young callans
Wis emulatin Burke an Hare
An resurected Lallans.

Awa in roch auld Aiberdeen
The fowk wis fairly blaikit:
For gin it's nivver yet been deid
Foo can a corp be straikit?

Of Man's First Disobedience

The gweed Lord said til Adam, that since he'd fan fae grace
He maun tak that wumman wi him an seek anither place.
Noo Adam wis gey thochtfu, as he liftit up his kist.
It wis nae the gracious leevin, for he kent he'd nivver miss't.
He wis thinkin on his Gairden, faur he'd spent sae mony ooers.
He wis sweer tae leave his Gairden, and aa his bonny floo'ers.

As Adam tuik young Evie's haun, tae walk a lanesome road,
He winnert foo they'd get tae wark the pleasant lands o God.
That angel lads did well eneuch at singin in the kirk,
But liftin tatties, pu'in neeps — noo that's a different wark.
He wis jist a bittie worrit, as they dandered doon the track,
For fa wid pit his seedlins oot, or cut his roses back?

The years gaed by, an Adam at last wis growin auld.
He tuik tae bidin in the hoose; he didna like the cauld.
An Evie tellt the littlins they wis nae tae mak a steer,
An nae tae bother Grandpa, fa wis settled in his cheer.
She kent fine fit he wis thinkin, jist sittin there for ooers.
He wis mindin on his Gairden, an aa his bonny floo'ers.

Auld Acquaintance
[Lament for the Braif Toun]

Come let us say a last Amen:
Gweed rest the toun I eesed tae ken.
The wynds an closes at I kent
Hiv yielded til Development.

Yon chiel Montrose wis aye the best
At pu'in doon an layin waste.
Gin the Improvers hae their say
Ye've met yir marra, lad the day.

The Guestrow's gaen, unhappy ghaist
That's thirlit ail an airthly past!
Gin Cumberland sud come anew
He widna ken the neebors noo.

The hauf o' Broad Street isna there,
The Nether Kirkgate is nae mair.
The Wallace Tower his traivelt far;
Faur hiv they pit the Hen Hoose Bar?

Kissed yestreen an kissed yestreen,
Up wi the Gallowgate, doun wi the Green!
It didna coont for much, they say
Five hunner years o' History.

ON Castlehill they hae brocht doon
The auldest quarter o' the toun.
They'll clear the lot, jist say the word!
The Attilas o' Bon-Accord.

O Thou that stays the fire an sword,
Preserve us fae the Planners, Lord.

DOUGLAS KYNOCH

Born in Aberdeen and a graduate of the University of Aberdeen, Douglas Kynoch is well-known as a writer and broadcaster at present living and working in Glasgow.

Blue Toon Carol

Gin ee'd been born in Peterheid,
Gin ee'd been born upbye, my babbie,
Siccan a rosie on mammy's bosie,
Fishers and brosie fairmers as weel
Wad hae lowsit and histit fae craft and fae creel.

Gin ee'd been born in Peterheid,
A lairdly chaumer for ma laddikie
Up at the big Ha; nae wird o cattle ata,
Never a troch o stra for the feed,
But a fine fedder cushion or twa at your heid.

Gin ee'd been born o Buchan Bleed,
Sic handsels we'd hae brocht ma mannikie:
Booties wi reid bows, a bowlie for brose;
Hullocks o mitts and moggans in blue;
And a sled and a sheltie, ma sonny, for you.

Gin ee'd been sprung o Scottish seed,
Sic farin we'd hae fed ma loonie:
Herrins in oatmeal and partin fae the creel;
Sowans as weel and het buttersnaps;
Potted heid, mealie jimmies and bannocks and baps.

We'd be sae gweed in Peterheid,
Gin ee'd been born upbye, ma bairnie;
Never a man foo, nor a crafter miss a coo:
Laddies wad loo and lassies wad dream;
And the kirk wad be full and the jile wad be teem.

For aa the warl, there's ae remeid:
That fowk wad see you back, ma lammie.
Wadn't you hear's aye, be bye tae cheer us aye;
Fleggin oor fears and salvin oor smairts,
Gin we'd lat you be born ower again in oor hairts?

His Ain Back
[Based on an incident in 'Jamie Fleeman, the Laird of Udny's Fool']

Ae May mornin by the Ythan,
Jamie's sprauchelt on the green
Wi his bauchelt buits aside him
Streekit ablow the sun.

Whaups are fluffrin owre the wattter;
Bumbees bizzen on the breem,
Jamie scrattin at his oxter
Windrin gin he'd tak a sweem.

Spies a meer ayont the river,
Wi a billy at the ryne,
Cockit up'n a yalla jaicket,
Jamie kens the cratur fine.

Faith, he should, the times he's seen him
Warm his hurdels at the ba.
Eence he'd ca'd peer Jamie 'glaikit',
He's nae taen wi him ava!

Yarkit by the ryne, the horsie
Gies her heid a muckle toss,
Syne her rider speirs at Jamie
Faraboots it's best tae cross.

Jamie canna haud fae snichrin,
'Noo we'll see fa's the feel,'
And, in freenliest o' mainners,
Pints him tae the deepest peel.

Doon gaed meer and man thegither,
Doon tae deeps o dubs and dreid;
Or the watters o the Ythan
Near-han happit ilk een's heid.

Jamie, wintin tae mak siccar
That the traivlers hinna sunk,
Gaups at them oot owre the watter
As they clammer up the bank.

Sypin weet and sair ferfochen,
Clookit fae the jaws o daith
Yalla Jaicket yells at Jamie
Did he seek tae droon them baith?

'Losh' says he ''ere's deuks cross yonder,
Never kent tae droon nor drook.
Yon hingin-luggit meer has surely
Langer shanks nor ony deuk!'

Nine Gweed Rizzons

Melpomene was mumpin,
An her een were rubbit reid;
She lookit unco dowie,
As gin somebody was deid.

Terpsichore was trachelt;
But, for aa she had tae pech,
Was loupin like a learner
Wi a forkie or a flech.

Thalia, she was scraichin
Like a half-dementit hen;
Fat set the lassie lauchin
Only her an clootie ken.

Thon Erato had likely
Fisport something till 'er. Och,
An afa deem for fisprins,
Ay, and aye that bittie roch.

Urania was scuttrin
Wi some ferlie in the skies,
And Cleo was teen up wi
A historical treatise.

Euterpe was ferfochen
Aifter furplin wi her flute;
Pozymnia was ailin;
And Calliope was oot.

Mount Helicon was heelster
Gowdie aa damnt aifterneen;
And that's the wye I never
Got my magnum opus deen!

M.S. LUMSDEN

M.S.Lumsden (Mrs. A.L.Sandison) was born in 1899; twice married, she was predeceased by both her husbands. Before retirement she was principal teacher of English and deputy headmistress of an Aberdeen school for girls. She now lives at Blair Atholl, Perthshire.

In Time o Tribble

Best nae to dwall on the peety o't;
That wye lies naething bit hertbrak.
Tyave on, tire an fa tee again;
hand an feet maun be swak.

Files, fin we're fairly ferfochen,
aa wir leen, keest doon in despair,
thinkin we've lang tholed sae muckle
that we canna thole mair.

Syne we look up abeen. We are liftit
fae caul dark and naething can hairm's.
We are faldit aa roon and aneth us
i the onseen Iverlastin Airms.

Stannin Still

I steed richt still and lookit doon
on growthy green again.
The cry o the sea-maw cam ower the corn
like echoes fae innerly pain.

I steed richt still on the weet saut san'
and lookit oot far and free.
The sin shone warm bit the win blew caul
and my thochts war like the sea.

I steed richt still and I lookit up
as cloods smored ower the sky.
I thocht, up there, abeen the cloods,
maun be bricht sinsheen aawye.

Bairns' Ploys

Wisn't it fun to loup in a peel
and brak the ice on the road to the skweel,
to rin in the win and skirl and sing
wi yer hans on yer lugs, gar them dirl and ring?
 Rin deil, rin dog, ower the dykes and throwe the bog,
 Win, water, snaw and fog. Rin deil, rin dog.

Wisn't it fun to lie on the mat
afore the fire wi the cheetie-pusscat,
to cuddle her close, sae fine her fur
to straik her saftly and gar her purr?
 Three threeds in a thrum. Aa the wives o Buckie-don
 I niver saw a bonnie lass bit what I likit some.

Wisn't it fun to caa the swing,
fae the elmtree brench by the heels to hing,
or set a rive o yer scone or bap
on the collie's nose and gar him snap?
 Here's a bit o King George's breid
 Ye daurna ett it ere he be deid.
 Meal, maur, sugar, saut,
 cock, kep, snap, fire!

Wisn't it fun to kep a bee
in a blin-man's-bell, syne lat him free?
To haud in yer han, in a petal cage,
a murlick o simmer,
a foggie bummer bizzen wi rage,
wisn't it fun?

Gossamer

The ettercap is an eident wyver;
her darg's a skinklin wob
vrocht, raw on raw, anent the daw,
a byous skeely job.

Hungert, she hauds her aeriel threed
and nicks the bummlan flees;
files stabs her mate wi fireflaucht hate,
cannibal, ill to please.

She faulds her young in swaddlin threeds
a saft, silken cloo
she heezes ower a berry buss
to tine it in the dew.

Syne sma new wyvers speel the dykes;
ilk ane peys oot a threed.
The win plays tig, awa they flee
like fireweed's floatin seed.

Wi faerie leevity, laich doonlichtin,
hairst mornin's gossamer shooer
trammels the een ower stibble and steen,
an antrin seely oor.

The Chackie-mull i the Wud

Wheesht! Hearken! D' ye hear him there ahin yer heid,
tick, tick, tickin i the wa,
the eerie chackie-mull tick, tickin i the wud?
I'm feart deith's nae far awa.

Loch! Ye're easy fleyt, like a muckle gockit nowt.
Yon's nae deith, but life.
There's nocht but a sma broon golachy there,
chap, chap, chappin tull his wife.

ALASTAIR MACKIE

Born in Aberdeen in 1925 and schooled at Skene Square School, Robert Gordon's College and Aberdeen University, Alastair Mackie taught English in Stromness, Orkney and took to writing in Scots. He opted for early retirement from Waid Academy, Anstruther in July 1983 and in his own words is now 'learning to write in a foreign language' (English).

Aiberdeen The-Day

Nou in the echties the granite's nearhan smoored
wi plate gless and English brick. Bulldozers
bellyrive. The toun bounds rax the map
aa airts. Supermercats trok their wares

and bigg ower history. Ye gang ben George Street
into a tracheotomy. The toun's kirk
'll hae mammon for a neebor. Profit
like murder has nae fatherland.

Fa ains Aiberdeen? Fremmit siller
like killer sharks'll rive the body's fat.
Mind on St. Christopher the martyr? —

at pint-blank range the crossbows stobbit'm
their bolts' black leeches sookit his life,
the reid bleed dreeled like an ile-field.

Street Games

Eetle ottle black bottle, eetle ottle oot...... We stood there,
prisoners waitin to be coontit oot for death. Five o's
mebbe against the hoose-waa in the Aatumn nichts
dirlin wi bairns. And somebody was 'it', the victim.
The game was leevie-o or kick the can......
(Hitler the hoose pinter was tottin up the Jews.
The bake-hooses o Auschwitz were still years awa
unlichtit. He kept cheengin jobs.) But we
broke up like smithereens and socht oor hidie-holes,
in lobbies that stank o cat-pish and cheap polish,
scabbit backies, wash-hooses...... And the dell
aside the lamp-post's starn-lit skelp o pavement
beckont to ye ahin the dyke. The seeker was awa.
Ye scootit hame, oot o the forfochen searchlicht o his een.

In The Thirties

Aiberdeen Street

Ye were hyne awa fae Nuremberg o the flags,
the death-crap o the purges; Il Duce's
black-sarked legions heistin eagles......
Woolie's guns and gairden canes airmed oor wars
focht on your cassies, oor granite battle-field.
Paper planes whitent the gloamin-faa,
earth-bund swallas the scaffies sweepit up.
And quines were bobbin corks aneth the tow brigs
o their skippin ropes. Cairt horses snochert
and the shod wheels girned and dirded.
Here in this play-grun atween the tenements
— sea gulls on the lums — I breathed in Scots.
Years later I howkit up the street's kist
o memories and found amon the mools, deid words,
the affcasts o history, teuch as granite setts,
the foonds o my world.

Street

The navel-tow o the street,
I snippit ye lang syne for war, for college,
for a dominie's day-darg...... Your skirlin lung
is quaiter nou, cloggit up wi metal.
(I mauna cuddle in the wyme o yesterdays)
The granite tenements stand yet
faur streenger fowk bide nou. Windas like glowerers
gaup still on oor auld hoose,
the granite centenarian o the street.
The place is like a kirk-yaird.
Fae the dowier distances o middle age
aathing's smaaer than it used to be.
My father crines at the het cheek o the ingle,
and oot the winda, a tooer block
rents the air. Ower the chippit cassies
the tackety beets o deid louns thinly jow.

Street

Nae McD.'s 'lang coffin o a street,'
mair a village fit-path lined wi setts.
Streets at tap and boddom merked oor frontiers.
We spoke o girds, scuds, quines, bleedy doctors......
I'm richt gled the auld words still come back
like migrant swallas, black shears o the gloamin.
Marx we hadna heard o, only the Marx brithers.
This was oor grunwork, the hard pan o oor lives.
A sma bit street that hirpled doun a brae.
Whitever roads I took since then I
began wi workin fowk in granite tenements.
Aa the lave was superstructure.

'Will ye come to Abyssinia will ye come'

Swingin oor school-bags past Short Loanins we
sang a bairn-rhyme aboot Mussolini's war
to the tune o 'Roll along covered waggon roll along'.

His muckle chafts lifted like a side o beef,
their necks skytit hairse thunder ower the balcony.
Viva Il Duce! The first shot o the next war.

The first shot at the next war. 'Bring yer ain
ammunition and a gun.' Doun Leadside Road
aifter school skailed and the barfit tribesmen—

black smush afore the shells' onding. And syne
'Mussolini will be there shootin pea-nuts in the air'
He pisoned the air their arras souchit thro.

It was a rhyme that whummelt a rickly empire.
He swung tapsalteerie in the square.

(Mussolini used poison gas in the Abyssinian war and
was himself hanged by Italian partisans).

Hoose

A granite ship oor hoose,
granite sky-lines shouthert the fower airts.
The bows grew tatties, cabbages and neeps;
a dryin green and wash-hoose at the starn.
On the main deck tiger lilies blew orange tooteroos,
and dusty millers, a fine stew on their lips,
and butter-baas happit up like presents.
Forrit-touzle-heidit asters shook,
the black currants' pit-mark worlds.
Fae the gunwales privet hedges sprootit.

My granny sailed on't, my spinster aunt,
forby the six o us,
echt thegither in fower cabins.

The elements in their seasons shoggit it,
but we weathert aathing...... birth, death,
broken time, disease...... We never foonert.

Fae the iron railing ye could look ower
and watch the freethe and stillness o the sea.

I was a neb-in-the-book Odysseus,
a dwaumy spinnly bide-at-hame,
tethert for years to the quay-side o the street.

The kitchen was oor nicht school
faur we hunched ower lessons,
my three sisters and mysel. The room's gear
I mind, was solid stuff, shiftit roon whiles
but the table held the middle o the fleer,
a fower-legged god to bakin and to lear.

The gas mantle's yalla star biled and bizzit
abeen my father's black heid deep
in the pre-war 'Evening Express'—
Lindberg, Dolfuss, Abyssinia...... Wullie Mills.
Mither darned or knittit, or in a note-book
warstled wi the sma cheenge o a blocker's pey,
the insurance, the menadge, the coal accoont......
But me the clever een, I was at the sums,
parsin, makkin maps......

It was a sma bit faimly world
fed and cled on a quarryman's steeny wage.
And the white ceilin streetcht its moose-wabby tent
abeen oor heids.
                                        We said oor prayers in bed
and fell asleep. God's job it was to keep us
happit fae aa hairm and gin we never
waukent, oor souls wid be safe richt eneuch
in his auld man's hands.

Primary Teachers

My primary teachers o the Thirties
maun aa be middle-aged skeletons by nou.
Aa weemin they were.
                        The early snaw in their hair.
They pit up wi impetigo, flechy heids,
and bairns that couldna pey their books —
                        the fathers were on the broo.
And yet they did learn us, yon auld wives,
We chantit tables like bairn-rhymes
to keep aff the inspectors or the heidie.
And when we spelled the classroom skriechit
sclatey music fae oor soap-scoured slates.
Their scuds were murder — the Lochgelly soond.
'Don't turn on the water-works' they girned.
                        (They spoke English)
They kent naething o new methods
but in their fashion they were as teuch
as gauleiters, ramrods withoot briests.
They did their T.C.'s prood.
                        I salute ye nou,
Miss Smith, Miss Tough, Miss McIvor —
steam-hemmers somebody maun hae loved.

Fatty And Skinny

Tumpty-tum, tumpty-tum,
Tumpitty-tum, tumpitty-tum......
The bap face o the planet wi a mowser on
and aside'm the neep-heid.

o's crony, a gawkit crescent moon-phiz
shauchle into the cheap mirk
o the 'Grandie' or the 'Belmont'
(fae flag-dreepin platforms Hitler

bullyragged Europe) A thripenny world
for school bairns on a Setterda
in the Thirties o the bouwl-crop,
girds, yo-yoes, coos and ingans and the Broo......

The grun is never the same
ablow their feet — in Switzerland
or India or 'Way Out West' —
objects collogue to whummle them;

ledders, carpets, ashets, hemmers, planks......
And fowk. They canna ever understan
the world. Their bairn-like innocence
there is original sin.

And like coorse gods we watcht their ongauns,
yon twa tennis-baas the fates stottit
on the slithery fleer o the universe.
Ah, the tears o things! Was there

a kinna sadness in the belly-lauch
we were ower young to ken aboot?
(Oor ribs were sair wi ither tears)
Or was't the heroism o faain bodies

that for aa their mishanters wi the things
and tho the foonds were tapsle-teerie
they stood i the end, on their feet, upricht,
lang-tholin, twa smirks, nae a bit dumfoonert?

Their world bired on a shakky aixle-tree
that cowpt them into chaos. Yet they daured
necessity wi their bouwlers on and dichtit
as they jauntit oot o sicht, immortal gowks.

Trainie Park

It wisna oor park, this green howe in the toun's hert
faur the track's causey rang and reekit
wi country trains and goods trains. Did the flooer-beds
get a skiftin o blawn brook the haill year roon?
A queer mixter-maxter thon —
reek and roses, stillness and the kink-hoast
o steam trains. Did auld men play dambrods there
ablow the granite dwaum o Robert Burns?
There we maun hae met and daffed wi quines or
rowed doun the grass braes ahin the gairdie's whussle......
Look up thonder to the main pend o the brig —
aneth it, trains cairriet fowk and lug-stoundin thunder —
aa Aiberdeen like black golochs gaun their eerands
dottit past, to win to the Castlegate
Hizzelheid or the fower airts o the earth......

Victoria Park

Le vert Paradis o Baudelaire? Never.
Already we kent ower muckle aboot quines......
The gairdie was God, one-airmed, wi a whussle.

18th century parkland withoot a laird,
its graivel path began inside the gate,
— was it ever lockit? — a roosty carpet, trampin

to the fountain's weddin-cake, its tap a tree
upskailin watter that branched in smithereens.
We wyded in't and, ill-trickit Gullivers

we foonert boaties and splytert quines.
At Easter the eggs rowed. We climmed trees and yowled
like Tarzan or killt ane anither wi Woolie's guns.

Only the lovers, — we never saw them — dandert
thro Eden, nae yet yokey for God's aipple......

Westburn Park

Bradman o the centuries and Larwood
his richt hand, a cannon's snoot...... Whiles we had
a tree's knurly bole for wickets, whiles a tennis baa......
I mind the simmer nichts the park's clock
was the clour and timmer yark o cricket bats
caain baas ower the grass and into the burn
and the batsmen skirled on by his side. 'Rin, rin!'
We never had an umpire, the wicket-keeper
smoored the fast anes wi a jaiket. In the pond
the posh louns aired their yachts — nae Woolie's anes —
like white swans driftin wi their sails asleep......
And the shaddas streekit their linth alang the grass
as we haiked doun Westburn Road, Jimmy Smith
singin 'Throw open wide your window dear'.........

Boris Karloff

I aften thocht as a loun
that the greatest actor o them aa
                    was Boris Karloff.
He aye cam to life in a sotter o test-tubes, twirly wires,
lichtnin, spooky chords and a grue up your spine
as the muckle deep ee-lids slid back like saucers
and the shewed-up scar-howkit swatch o a face
made the sma hairs prickle on your neck.
Ye couered doun on your thripenny seat
fair feart to be feart and yet likin it.
He seemed to stink o the kirkyard moold
as he hirpled on his shauchly leg
thro slices o shadda and eerie licht.
And when the great cleuk o'm rose up
to clour the victim the fiddles tore their guts oot
wheengin wi terror and the haill pictur hoose chittered.
                                                            Of coorse
it was aa a bloody con,
deen wi dads o grease-paint and lichts
and paddit shouthers —
                    the cheap cosmetics o the damned.
A swick to fleg school bairns
spendin their Setterda thripenny
in the Hitler-ridden Thirties.
                    For aa that I say
O rare Boris Karloff
son o Mary Shelley and Metro Goldwyn Mayer!

KEN MORRICE

Ken Morrice was born in Aberdeen in 1924 and educated at Robert Gordon's College and Aberdeen University. He qualified in medicine, served in the RNVR and later specialised in psychiatry and became senior lecturer in mental health at Aberdeen University. Married, he has one son and two daughters.

Winter Ferlie

Ae bonny day, Christmas nae lang bye,
blithely we stairted oot frae Esson's Craft
tae clim braw Bennachie, ablow blue
sky and gowden sun, sookin in the caller
air like wine. The wids were hapt
in snaw, trees feathered fite, their
airms ootraxed — a benediction o bricht angels.
Canty syne and weel-blessed, we peched
oor way up the steeny path at last
tae win the Mither Tap.

Weet-broued, gulpin braith,
we sat in sunlicht heich abune the lands
o Buchan — fairmyairds, wids, keeps,
and couthy touns — ootspread afore us,
rowin tae the sea.

But syne, growin caul
in the snell win, we rose stiff-jinted
tae styter ower Maiden's Causeway and find
oor path ere gloamin-faa, fan sudden-like
a bearded chiel appeared. A wee bairnie
happit in a shawl was cradelt in his airms;
and 'Cam awa, Mary,' he cries ower his shouther
at his young wife, reid cheeked, labourin ahin.
'Grand day!' he smiles and salutes us, speirin,
'Is this the richt wey tae the Mither Tap?'
Bumbazed I stammer, 'Gin ye cairry stracht on......'

Sae in a dwam we watch the three o them.
And in the winter gloamin blinks oot
the star o Bethlehem, skinklin in the lift.

Caul Kail

Rigs stan erect, great iron teats
      on the breist o the sea.
We sook the black milk up and up
      until the waal gangs dry.

And gin the ile's aa teem and deen,
      the bonny fish aa catchit,
fit then? Tartan tourist whigmaleeries?
      Trips roun the roosty ile-rigs?

'Gweed maisters,' we'll hae tae parleyvoo
      in their ain leid
tae Eytalians, Frenchies, and stoot German lairdies,
      daffin oor bonnets,

'Welcome tae Caledonia! The ile, maisters
      finally got on oor wick.
But tak a gless ev'noo tae wash doon
      yer authentic neep brose.'

Syne we'll fa tee tae keep the toon,
      set oot new kailyairds.
A grippy nation like oors canna but learn
      tae pit its mou tae the bottle.

Or, gin it's teem, sook its ain thoomb.

Spendthrift

Nane ower fond o banks,
      profligate, the river cowps its gowd,
skails copper and siller in a spate
      o glorious liquidity,

flegging the willie-wagtail
      wha dip-dips his inky quill,
tellin his accoonts, aye keekin
      at the toomin till.

Easter Ferlie

'Hist!' quo the tattiebogle
as I daunert bye,
a froon upon his neep heid,
tear-drap in his eye.

'Stand I the socially outcast,
puir and timmer-shanked;
hapt in cloots on this sma knowe
wi cairds and thieves I'm ranked.'

Planked amang the sappy dubs
he jouked tae me and cried
(waesome in the win and weet)
'I hing here crucified.'

'Saftie or saint, my langsome lane,
rejected by aa men —
gin thistles sat upon my broo
wad ye mebbe ken?'

I thocht that I had gaen clean gyte —
a tattiebogle says he's Christ! —
whan scraichin through the mirk I wist
the cock crew thrice.

Procrustes

'Damnt, man', he said,
'ye're ower lang', sawin
aff baith feet. The neist
wis aathegither shargart —
his ends wad niver meet —
and sae maun be raxit.

Gin ye hae an obsessional
aboot the place thirled
tae nicety and exactitude,
mind hoo ye tread, and,
maistly, intae wha's bed!

Successor

Sae at last he's deid,
and fa regrets it?
Gi'en nocht,
forgi'en nane,
he foon himsel the heid
and nivver ye'd forget it!

Abune the mou
o the gapin grun
snell wins flicht.
Beeriet noo,
ootraxed in glaur, lie
cowped his pooer and micht.

Prayers said, aa redd,
soond oot his name,
bully and cheat!
He leaves ahin nae freens,
a muckle balance sheet,
and a blythe widda —
fa taks tae bed?

Eye Of The Beholder

'Aa brides are beautiful,' the advert
said, showin a photie o a Disney
Snawfite quine smilin at her waddin.
Weel, I'se warren, this ane wisnae!

Nae tae be doonricht hurtfu,
they were baith plain-like chiels,
but stood braw in the sunlicht,
she keekin up at him, files.

and he smilin fair glammerified
doon at her. And they lookit and saw
fit they saw — their ain twasels —
maybe nae sae bonnie nor jist afa

fancy or perjink, but weel matched
aa the same, and smiled and leuch
that twa'd become ane. Dod, I thocht,
wi'oot a lee, yon advert's richt eneuch.

Foo Mony Cubits?

The sun's been tint for weeks. Deid maybe.
Likely drooned. There's water a'place, teemin doon
gutters and branders, rinnin aff the slates,
floodin pavements. Fowk near droon

waitin for the bus. Fit an onding!
Weet skites up yer troosers, drips doon yer sark.
Fa wis it prayed for rain? Lord, eneuch's eneuch.
Ca back the sun, or help's build an ark.

The Dook

Mair nor a week gaed bye
afore we'd dook again frae yon
shore. Roddy jaloused it was
sackin wi dulse for hair;
Alick a tattiebogle caad
doon the Dee in Simmer flood.

Caiperin aboot we cast stanes
at it and an empty bottle.
Sync I splashed oot tae haul
it in, pechin back fyte
and fleggit, rinnin tae fetch
bobby Duncan tae come and see a deid man.

Quait and wyce we sat aa aifterneen,
being jist bit loons
and daith cam ower seen.

The Bairnie Jesus A Carol

Bairnie laich amang your strae,
born to be oor Prince this day,
noo you lie in manger bare,
stots and kye aa thrangin there.
And yonder in the cauldrif nicht
the star o Bethlehem lowes bricht.

But syne into the bothy's stir
wi gowd and frankincense and myrrh
the Magi come and thankful kneel,
taen by the star to wish you weel.
And 'herds forbye, aa croodit roon,
fleggit by angels, noo bow down

and worship in the steir and stour
the Love that's born on earth this hour.
The Word is gaen the shape o man —
a bairnie's livin oot God's plan —
and sae at Christmastime we sing
ower aa the warl 'Jesus is King!'

Day Wins Doun

I can mind the white gulls scraichin
aifter the ploo, the laverock whistlin
abune the braided barley, the leveret
chitternin amang the cliff-tap stubble.

Yonder I lived whan life was young
and pleasure easy, but ill-content
I girned ayont the dunes and heather
for granite spires and gowden future.

Noo that future socht and wrocht for
dwindles tae a dreich-dayed past,
Hoardin 'oors, I forgot tae spend the day
till nicht had closed its thievin neive.

A time there is when we decide
and what we are we are completely.
But pairt o me has fled the deave o streets
for that hyne shore, blue sea, and white gulls sailin.

Makar

As he was tocht,
the baker skelps his dough,
moulds and bakes his breid.

Quine, gin I mould this for you,
I dae what I can dae
wi words, ettlin tae
bake a poem, wi taste and crust,
a thing tae bite
and chaw, nae saft as woo.

Sae dabbit wi floor and stew,
smellin o yeast, wi duntin neive
and sweaty broo,
I wroch and warstle
wi the hail stramash — hands and heid —
wark my wark for you.

God, mak it rise
tac the occasion!

Boom Toon

Ile toon, boom city,
Houston o the North —
sombreros instead o bonnets?
black gowd instead o siller?

Havers! Frae Fittie
tae Rubislaw yer granite
waas'll halt sic an invasion.
The blunt speak o Aiberdonian
doddies winna encompass
yon obligatory drawl.

The smell onywey'll tell
ye. Nae ile — fish!

DAVID OGSTON

The Rev. David Ogston was born at Ellon in 1945. His first home was a 50 acre farm called South Kidshill, Auchnagatt. He went first to Clochan School and then when his family moved to Bromhill, Kinellar, to Blackburn Primary School and then to Inverurie Academy. He was at Aberdeen University from 1963-69, graduating M.A. and then B.D. He served as an Assistant at St. Giles' Cathedral, Edinburgh, then as Minister at Balerno and finally at St. John's Church, Perth. His opening poem here came first in the Scottish section of the Scottish Open Poetry Competition (1979).

White Stone Country

I gaed back for a steen,
A fite steen,
Faan I wis thirty-seiven an a day.
It wis the day efter my birthday.
I stoppit the car
Nae half a mile fae the skweel
At Clochan, at the neuk
O the park. The steens lay
In a bourach on the enrig.
I climmed ower the palin
An steed for a meenit, nae sure
O my balance: nae sure,
As I picket ae steen
Fae the hullock, if I wis takkin
Something or pittin something back.
Men teemed the parks, eence
Tae clear grun for the ploo.
I took the steen
Like a diver, rakin aboot
In the intimmers o a boat
Lang seen lost, wie treasure,
Lifts a maik, surfaces wie't,
Maks it his ain keepsake.
Mair nor the steen, though,
I prize the place
Faar it lay eence, the space
It eesed tae fill.

'Gowd An Yalla'

Faan my gowd an siller's deen
An I want an honest freen
Hyne awa fae Don an Dee an fae the Geerie,
Gin ma hert be caul an teem
Gie me gowd an yalla breem
Fae the canny braes an breist o Bennachie.

Faan I traivel aa maleen
Hyne awa frae Aiberdeen
An aa the hummle knowes an hills o Geerie,
Faan I'm tint an trachled sairly
I am thinkin late an early
O the Mairches' rise an faa on Bennachie.

Faan I'm weary an despairin
Gin ye'd gie ma hert a fairin
Tae cairry wie's tae mind me on the Geerie,
Syne I'd settle for a steen
Fae the Mither Tap abeen,
Or a souch o caller win fae Bennachie.

Faan I'm deen an dowie weerin,
Faan I raise the hinmaist feerin
Lat it be a mids atop the hert o Geerie.
Gie me heather for a happin
An my yaird'll be the bracken
In the lythe aneth the hicht o Bennachie.

My Faither's Sark

Some days, for merriages an funerals
I clad masel in the minister's apparel:
The black jaicket an the suskit breeks,
An the fite collar roon my throat
Like yowdendrift that winna thaw.
Maist days I'm like aabody else
Savin of coorse the Sabbath faan
I rax on the black again.

It's ten year sin I left the craft
Tae be a man plooin wi the Beuk,
Sawin wi the Wird, hairstin wi daith
An tribble fechtin me in the bout.

Faan I left the fairm I took wies
A fyow sangs like 'MacFarland o the Sprots',
My jazz records an my faither's sarks.
I packit nae regrets in my stoot kist,
Nae yearnin for caul clorty grun
An the sotter o a weet park
O' sneddit swedes wytin for a cairt.
The roch shape of a larick post
On the fingers was nae miss.
Nor the pleiterin an soss
O' a fu' byre mornin an nicht,
Nowt roarin in the travisses.
Barras tae be rowed an sharn
Up ower the beets...... Noo I'm
A minister wi saft hauns an a smile,
Clean sheen an a tied hoose.
Maist o the wark I dee noo
Is face tae face wie fowk, newsin,
Writin, an a sermon twice a Sunday.

Fyles fan I yark on my claes
O' a mornin I'm gled to be nae fee-ed
Tull ony man. I'm free tae yoke an louwse,
Tae hash on or tae scutter
At my ain lick. Naebody stauns
At my shooder skirlin: Mak! Mak!

Free, did I say? Tae tell the truth
I'm nae sae sure, fyles on a het day
I'm fobbin like a fat kittlen
In the black suit an the aul sark
O my faither's — een o the fite
Sarks wie the studs back an front
For the collar — faan I feel my oxters
Weet aneth the claith, an it's nae
My sweat I draa up tae my neb
But his ana, as gin it wisna me
In the aul sark but him, raxin
For sheaves atween the shelvins
O' the wide cairt in ahin the meer.

An syne it aa comes back again —
The stacks wi their heids egither
In a bourachie, the spiky stibble
Trackit wi the wheel rims, forks
Powkin intae the ticht fantails
An the eident liftin, drappin, flingin,
Tae the man biggin roon an roon
The squar load, syne hame
Tae the corn-yard, the haill cairt
Showdin but steady, the meer's feet
Makkin pooder o the saft stew,
The rucks creepin up fae the founs
(Birselt and springy funn-busses),
An aul strae piled up for theckin.
Fly-time wi the roon perkins
An the stem yoamin fae a kettle,
Pipes stappit wi Bogie, men doon
On their hunkers for ten meenits
Wi their bonnets aff an their sarks
Open tae the win...... The sweat dryin
On the men I pictur tae masel
Rins like a thin line doon tae me
Back throwe the years, nae maitter
Foo I try tae dicht it aa awa
On a het day faan I'm aboot the trade
I've landed wi: oh, mony a caul day,
Faan the hert freezes I'm gled o the aul sark
An the thocht o clyack, sometime.

The Doric Angel And The Hill-Men

Reist yon deleerit dug, lads,
Or tyne yer yowes. Mair things
Are vrocht the nicht in Dauvit's toon
Than ye jalouse yet, but I'll wise ye.
The beuks are comin true,
The aul wirds are faistened.
The quine's cam tull her cryin
An her new bairn beddit in a troch.
Mark him bi lantren licht
Faar a lane star devalls
Ower a cruive hard by the ale-hoose.
He's lichtsome yet; his day's span
Maun be a shortsome een. Gin ye wad
See him, gyang noo.

Furs

The long-board replica — my grandfather's —
Sits neist my neive
As I ploo here, line upon line,
The odd stroud.

Black dots an commas
Are the en-riggs I mak for:
Eident the throwe-gang
An nae sweerman's-lift.

But I ken fyles, like him,
Foo — thrang at the ploo-tail —
Sea-maws an playrife thochts
Come feastin, skraichin.

Touch

Een o the warst eerins in the warld, yon,
Tae sit wie a man sae far frae weel
As he wis, an him nae willin
Tae lat me near him. He wis soothfast
In his laneliness, in his wintin
Tae cairry aa his leen faat ailed him.

He wis gey far doon, I heard.
I gaed in by tae see him.
I rang the bell an wyted.
She wis slow comin tae the door,
An I kent as seen 's I saa her face.
'Nae half an oor ago' she said.
I put my haun ontill her airm,
An she lifted her heid syne
An swayed forrit tae me, happin
My caul fingers wie the warm wecht
O her breist.

I canna tell ye noo, faat touched me
Maist: his bravehert, her heavy hert.

The Meaning Of Life

An tae be this far on, twenty-seiven,
An hae picket up a fyow tricks o' the trade,
Tae tak yer tabacca an nae rax
Yer wyme hoastin, or tak een oot o'
A wheen weemin tae yer bed syne,
Lauchin, foo tae tak hame siller
An tak care o the pennies for a poun's
Sake, or even, at the hinmaist en'
Tae tak time o'er dwinin an takkin
The laich road hame; he speirt himsel' —
'Is't aa takin, takin?'

Dyod man, gin't were aa gien ye,
Ye'd tak ill wi't.

Man, Ye Were Safe (an Easter Poem)

Man, ye were safe i' the biggins o' Bethlehem,
Tow't i' the strae far awa frae the steer,
An the fowk that were geddert had never
A notion o' fit was yer errin in a' the mineer.

Fit wis it gaur't ye tae traivel awa fae't
Trystin yer cronies awa' frae the sea?
Man, they were snod at their traffic an tradin
An winnert b'times cudn'ye latten them be?

An syne foo they winnert faun traikin ahin ye
Wi never a bield nor a bakin' o' breid.
Foo aften ye tell't 'em the teuchats abeen them
Pit naething bit sangs i' the mous that they feed.

Man, ye were safe gin ye never had dauchled,
Had wipet Jerusalem's stew fae yer sheen,
Bit na, — ye wid gether her fushionless chuckens —
O but gin only ye'd left them aleen!

Ye left her tae tak ye, an Judas took leave
Tae feather his nest on yer tree —
An a' the eleiven that didna tak money
Took waudges o' fear for their fee.

A' the days o' yer breath ye had never a bed
Nor ever a reef o' yer ain —
They gaed ye a cradle fanever ye cam',
An they gaed ye a lair at the en'.

Man, ye were safe i' the oxter o' God
But ye traivelt the mairches o' sin —
Ye measured the acres o' Heaven amang us,
An opened the gates o' the Grave to the win'.

Sudden Dread

My dother sleeps wi her freens aa nicht.
Ilka nicht; fan I gyang ben
Till 'er by the landin licht,
I see the haill boorach o' them.

Aa tapsalteerie, roon 'er towsy heid:
Teddy an little Ted baith neist her neive,
An Golly tae, sud ony sudden dreid
Come ower 'er like bad dreams div.

I sort them oot an' stroke her tousled pow,
Thinkin aheid maybe, twenty year or mair
Ah winner gin she'll hae a friend tae rowe
In sleepy airms, or wauken wi an share
The dark, dark nicht we aa warstle throwe
Files aa wir leen, nae ither body there.

The Orra Man's Wird

Some sermons winna yoke wies. The sulky breets
Jink bit an brecham gin they thraa,
Or snorl up baith back-hand an the theats,
Loup swingle-tree an tracen, syne awa!

Some sermons winna heel, but race oot wide
An jook the fussle, hingin doon their lugs
Tae keep stravaigin on the farrest side
An oot o range. Guid spare me siccan dugs!

But come the Sabbath men in sober blacks
An weemin full the pews wi silks an scents
Tae see fat line their skeely preacher taks
Tae credit him, or them, wi michts an mense.

Syne I've tae raise a feerin aa masel
An caa the sheep tae something like a stell.

LILIANNE GRANT RICH

Mrs. Rich was born at Blairfindy Lodge, Glenlivet, in 1909 and brought up at Advie on Speyside, going to school at Glenlivet, Advie and Aberlour. She taught for two years at Kirtlebridge in Dumfries-shire and for two years at King Street, Aberdeen. On Christmas Day 1934 she married Leslie G. Rich of Sevenoaks, Kent. Her husband died in 1963 and as a widow she has lived in Aberdeen and since 1969 has travelled over 200,000 miles. She celebrated her 76th birthday in Leningrad, dancing to a balalaika orchestra.

Veteran Mariner On Greyhope Road
(Advent poem for the Mariner's Chapel, Aberdeen)

See yon's oor harbour pilot boat,
Neat, tidy, eager, trig,
Bobbin like eident water-hen by day;
See, there she goes,
Past trawler and oil-rig!

But sometimes as I dander here at nicht
Watching big ships come in
Safe fae the North Sea's race —
(My memory jabbin at the sicht)
A magic spreads attowre the place;
Ah! yon's a metamorphosis!
Like animated Christmas Tree
Oor pilot-boat leads glorious
Hung wi licht!

My hert stouns wi a holy exultation:
Marvellin, I canna help but min'
On yon sma ootlan, sta-born Bairn
Wha cam at Christmastime
To be the Pilot for oor earthly race
To save and guide us each to Harbour Space
Lichtet by radiancy o Heaven's Grace!

A Christmas Prayer

I'm jist a humble tractorman, I kenna foo to pray
But I aften fa to thinkin — plooin here oot on the brae —
Wi the gulls aa flockin roon me like sae mony marble doos —
I've been coontin ower my blessings: they're fyles mair than I can use.

I look up to the lift abeen and ken Ye're near me Lord
An maybe ye'll forgie me if I try to say a word.
It winna be the wye they pray in kirks aa ower the laan
But somehow in yer wisdom, Lord, I ken Ye'll understaan.

It's comin on to Christmas, I hae beef and neeps and brose,
But there's them that winna hae sae much: tak peety Lord on those.
Let nae livin thing be hungry, lat nae livin thing be cauld,
Be it bird or beast or bairn or the helpless or the auld.

Gie saft warm beds to them that's ill or near their journey's eyn,
I aften think aboot tham as I lie sae snug in mine.
Let nae drunken dad or mither thrash or kick or bruise their bairn;
Spread Yer heavenly wings aboot them; dinna lat them come to hairm.

The fyou bit words I'm sayin Ye could hardly ca a prayer.
I jist ask as good as I hae got for mankind everywhere
So that aa oot ower the warld when the stars are glintin bricht
There'll be Peace and Joy and Plenty on this blessed Christmas nicht.

Her First Necklace (A True Tale of 1885)

She nivver hid auchtit a stringie o beads;
Till her priggin they answered, 'Na, faith!
Ye're ower young at sax. Fut wad YE dee wi beads?
Ye wad brak them or tine them or baith.'

So she pray't tae the Lord as she toddl't aboot
'Mon the cats an' the hens an' the kye
An' syne aye at e'en she keek't up the braid lum
An' coontit the stars in His sky.

Ae day their gweed neebor fae Merdrum ca'ed in:
She wis wearin a dolman sae braw —
Roun the front an' the fit o't wis shiny black beads
An' curnies o' gowd anes an' a'.

'Rin ye ben wi that tae the little eyn bed,'
Said her mither — an' kittl't the lowe —
'Syne awa an' be quate, fin' some ploy for a fyle
For we hiv wir news tae ca throu.'

It wis plain as a pikestaff that this wis her chance!
The Gweed Lord had sent her her beads —
'Yon auld tattie knifie wad snick them aff fine!
Noo faur wis yon rowie o' threids?'

She liket the bonnie gowd beadies the best
But there wisna sae mony o' them!
Still the black anes were better than naething she thocht,
They wad fill in the slappies atween.

She sat there sae eident sae quate an' sae gweed
On her steelie o fower bigget peats,
An' she vrocht a' the hale efterneen at the string
Till it near reached the heid o her beets.

'That's eneuch,' so awa tae the kitchie she ran.
'I'm fair hunger't! Is' time for ma tea?
Look, the Lord sent me beadies an' I've been sae quate,
Will ye please tie the knottie for me?'

Her mither gaed gyte an' begood tae rampage —
Her knockles gripp't ticht on her cheir —
'Ye'll tirr an' ye'll gang tae yer bed ye coorse vratch
An' I'll a'um yer peelin, I'll sweir!'

Mistress Cockburn spak up. 'Lat the littlin aleen,
Ye'll no lay a haun on the bairn;
That dolman wis geyan near deen onywye
An' it's bi oor mistak's that we learn.
Ae thing noo she'll min' o this warl an' its pleasures —
The sting's fyles i' the tail fin we grasp lang-socht treasures!'

(Note: these verses were written for a good friend who is a distinguished son of Rhynie — Charles Cockburn (ophthalmic surgeon in Aberdeen and founder of the Cockburn Chair of Opthalmology). The understanding lady in the braw dolman was his grandmother; the little six-year-old girl who appropriated the beads was my mother, born Mary MacDonald of Old Forest farm far up the Kirkney Glen, a few miles from Rhynie. She often related this story to me.)

From The Clifftops
(Dedicated to the late Jim Brocket,
Port Missionary at Peterhead 1977-80)

There at its heichest sclims the rinnin tide
Scatterin the bairnies' game —
Slappin the fisher-hooses' side
Wi green-white faem.

Skirlin and lauchin, ilk wi spindrift weet,
At the waves' edge the bairns their taes try in;
Syne, gin the creep micht catch their swippert feet,
They loup and rin.

Nou maisterfu, the floodtide saut-flung sea
Haps ilka glistenin rock out ower its heid
Like wreaths o white flooers on the coffin top
O them that's deid.

The Empty Playground

Faur hiv aa the bairnies gane?
The playground girse is lang and green
Faur aince ye nivver saw a blade —
Nae chance tae growe fin bairnies played!

They've closed the skweel aside Knowheid
Faur aince I won my daily breid;
It roogs my very hert to see't —
Nae lauchin bairns, nae dancin feet.

Fyles as I tak a dander roon
Fin stars wi benison look doon
I mind on ilka treasured bairn
Wha sat within yon waas to learn.

Aneth the bell's auld iron croon
Throu the lown nicht there wafts a soun,
A soun ower sweet for hoolet's cry
Or nowt-beasts fae the ferm owerbye.

And fae the shadows jinkin there
As if in answer to my prayer
Sure's daith! There's fyles I hear and see
Phantom bairnies dance in glee.

Journey Into The Past (For Eric Watt)

The Music Hall wi folk wis steerin! Dyod!
It wis the Christmas Fair for neist year's Mod.
Gaelic 'A Hundred Thousand Welcomes' said;
Tables wi' glitterin merchandise were spread.
I did my bit o purchasin and syne,
My basket fu, thinks I, 'I'll mak for hame.'
But edgin roon, I spied a muckle neep
As big's my heid — it only cost 5p —
A michty bargain for an O.A.P.
I humpt it oot and up oor street ca'ed Union
Hopin it widna rowe on someone's bunion;
Up fifty steps wi mony a pech and grunt
(Nae elevator in this tenement)
Syne dirdit doon, and gazed upon my prize.
'If spared' says I, 'the morn I'll hae neep brose.'
O, the gran yoam that filled my hoose neist day!
The windows rinnin doon wi condensation —
My mou, like Pavlov's dog, wi anticipation —
I was a bairn again on fair Strathspey!
Odours evocative turn back the clock;
Time disappears, doors to the past unlock;
Fifty years fled as if they'd never been
And I wis aince again a teenage quean!
Floatin aboot me in the kitchen steam
Dear folk I'd loved took shape as in a dream.
That neap brose wis a feast o celebration
As folk lang gane ca'ed in for the occasion.
I bocht a neep — a mundane thing you'd guage?
But, O, it brocht my magic pilgrimage!

Strathbogie Carol

Said Tap o' Noth
Tae the Bogie Water,
'Fut gars ye rin
Wi sic tinklin laughter? —
Tinklin', jinklin',
Like Christmas bell —
A' doon Strathbogie
Ye cast yer spell!'

Said the Bogie Water
Tae Tap o' Noth,
'I'm watchin' the littlins
Come forth, come forth!
I'm ringin' an' dingin'
An dangin' wi' glee
For the bairnies awa'
Tae their Christmas Tree,
A' dressed and bonnie —
An' in atween
I've an antrin chime
For the year that's gane!'

Said the Bogie Water
Tae Tap o' Noth,
'Fut gars ye haud
Yer heid sae heich? —
Proodly, proodly
There in the sky
Whaur the fleecy cloods
Gang floatin' by, —
Saftly, saftly
Sailin' by
Like bairnies' shawlies
Hung oot tae dry!'

Said Tap o' Noth
Tae the Bogie Burn,
'I'm watchin', up here
For the Holy Bairn.
An' I'm listenin', listenin'
For Angels' wings
An the Holy Sang
That the angel sings.
An' I'm prood, rale prood
O' the stars that shine —
As they joyously did
Ae nicht lang syne —
Glistenin', glistenin',
Abeen my rim
Like the Holy Star
Of Bethlehem'.

Nativity

'Flist ower tae yon byre, loon,
Fin oot fut's the mineer;
The nowt beasts are waukrife
An' makkin a steer
An' yet in their lowein'
There's nae sign o' fear!'

'O Mither, come quick!
O Mither, come quick!
I got sic a begack
Ye'll nivver believe't!
There's yon lassie oot there
Wi' weird in her een
An' the chiel she caas Joseph —
Min' we saw them yestreen —
Gaun vaigin the causey
Disjaskit an' deen
Priggin' sair for a bield —
At the howff there was neen.

She's gotten a bairn
In the caul howdumdeid;
He's there in the strae
Whaur the nowt tak their feed —
A wee nyakit Knabbie
WI' A LICHT ROUN'S HEID!

GEORGE RITCHIE

George Ritchie was born in Bucksburn in 1913. Work as a journalist in Aberdeen and Glasgow was interrupted by Army service from 1939 to 1945. He lives in Scone, Perthshire.

Green Eel

A green eel maks a fu kirkyaird.
Wi weather ower braa.
Does't mean at fowk wid nae be spared
An mony weer awa?

'But na', my faither said, 'for gin
Gweed weather cam at Eel,
The fowk could gyang to kirk, crood in
An fill the yaird as weel.'

Ae Day's Eneuch

The birselt girse is lyart in the sun
(For twa-three ouks there's been a byous drouth),
Steen-hard aneath the fit's the gizzened grun,
The wind is fae the sooth.

So here I'm lyin lythe aneath a tree,
Nae carin, lattin time gyang driftin by,
For jist enoo I've naething mair to dee
Nor fash wi, onywye.

To tell the truth, I'm gey weel shuited here,
But then, I've aye been easy pleased, ye see,
An as for fit's to come, I winna speer:
Fit maun be maun jist be.

Gie me the day. In times so coorse an teuch
It doesna dee to look aheed ava.
The day is fine. For me ae day's eneuch.
The morn is hine awa.

Time

Ye need nae tellin foo time flees awa.
A mamen's gane afore ye ken it's there.
Ye canna rax it oot to mak it mair.
Aa ye can dee is aye mak eese o't aa.
So gweed or ill, they never lest ava,
An joy or grief, fooiver sweet or sair,
Baith fade: at lingth o lang ye dinna care.
The hail o life be to obey this laaw.

Oh, aye, the hale o life, through aa wir years
Is thirled to time. But in the life to be
Fin time's nae mair, the mamen bides itsel,
The mamen wi its lachter or its tears.
Gin we've to thole it aye, an nae jist pree,
The timeless mamen maan be Heaven — or Hell.

Twa Wyes

The Shepherds saa the angels, tholed the licht,
Heard the Gweed News, syne left the flock they vrocht,
An faan the Bairn, for that wis aa their thocht
As seen's the veesion faded fae their sicht.
The Wise Men saa the star wi joy that nicht.
Gowd, incense, myrrh fae hine awa they brocht,
Booed doon an worshipped, kent the Bairn they'd socht
Greater nor aa their learnin, gear and micht.

The Shepherds are the fowk wi simple faith:
Ae flash o licht — they ken fa they believe.
The Wise Men are the fowk at tyauve to learn,
An syne believe wi mind an speerit baith.
But gin we jist accep or gin we preeve,
Like bairns we maan boo doon afore the Bairn.

The Vricht

The Man wis a vricht in a wee cwintra toon.
He vrocht there wi nae muckle steer.
He maan hae begood little mair nor a loon,
An maybe He bade twenty year.

He maan hae made tables an dressers an steels,
An aamries an gear for the hoose,
An yokes for the owsen an sic fairmlike teels
An swingletrees, mattocks an ploos.
An aathing He made wid be mair nor jist gweed:
Perfection — Himsel an His wark.
But neen o the fowk at the time winnersteed:
Their minds were aa happit an dark.

Gin we had a table or cheer we were seer
He'd made — gin we kent it wis His,
An gin we could say, 'We hae gotten it here' —
We'd worship fariver it wis.

We'd bigg a cathedral, a great muckle kirk,
Wi stained gless an carving forbye,
An — see it or nae in the sanctified mirk —
The pilgrims wid come fae aawye.

Bit He widna wint that — it's nae fit He made,
It's nae fit we think or we tell,
There's ae thing that maitters, fin aa's deen an said,
An that's fit we mak o Himsel.

The Chiel Ahin

I wis traivellin doon the road ae day, ae day fin I wis a loon,
Fin I easy made up on an aal deen man at bade in a neeborin toon.
An he said, 'Ye're so young an so swack, my lad, at maybe ye're like to forget
There's a chiel comin up ahin ye at'll gar ye dachle, yet.'

But he's lang syne gane, like the years atween, an noo I'm aal mysel
An I canna jist traivel the wye at I did, so fairly the mannie could tell.
It wis richt fit he said, an gin he wis here he wid ken at it aa wis true.
For the chiel ahin has come up ahin me — an he gars me dachle noo.

The First Pase

The lassie grat. Half-blin wi tears an feart,
She saa a man, onkent fit Man He wis.
'Dive ee ken far they've teen Him till?' she speert.
'He's nae here noo fitever road He is.'

'The Man said, 'Mary,' ae word an she kent
That aa He'd said wis true, for there He steed,
Alive — an mair — an garrin's aa tak tent
He's here, He'll aye be here, an daith is deid!

• • • • • • •

Twa men gaed doon the road, syne far ahin
Anither cam, an aa the wye they spak.
At gloamin fin they won intil an inn
They kent Him fin He took the loaf to brak.

His freens, in fear, ahin a lockit door,
Said, 'Fit is there to dee noo? Fit's the eese?'
He cam, wi wounds that werena there afore:
The Word Himsel. His word for them was 'Peace'.

Gyan doon the road or in a crood o men
Or in a hoose that's steekit lock an key,
He's here, although we maistly dinna ken.
He'll aye be here — gin only we could see.

Fa's Carin?

Noo, dinna be pittin my name
In letters o leed on a steen
Fin I weer awa an win hame,
An aa that I've time for is deen.

The fowk at hid kent me wid need
Nae steen gin they thocht upon me.
Nae others wid bother to read,
Far less to speer, 'Weel, fa wis he?'

Scotland

Is Scotland Aiberdeen an twaal mile roon?
Scotland is mair nor that — a hantle mair.
It's muckle hills, their riggins roch an bare,
Lang-storied cities, mony a burgh toon,
Steen castels at were eence the nation's croon.
Seas to the wast, wi islands here an there,
Rivers, wids, fairms, clean in the caller air,
Mines, harbours, airports — croodin sicht an soon.

But aye there's mair. There's his wirsels, the Scots:
Hielan an Lowlan, here an hyne ootbye.
In aa the warl we've aye been seekin space
To bigg wir hooses, howk wir parks an plots.
Scotland's a thocht, a state o mind. Aawye
Scotland's far we are. Scotland's ony place.

The Mannie

The mannie tyaaves awa.
He's workin through the day,
Files aifter dark an aa.
He's eident, ye wid say.

He'll tak the stuff he gets,
Fitever wye ye gie't,
Mak eese o aa the bits,
An aye be ready wi't.

Sic bonnie things he maks
For eese an ornament.
Ye're welcome aye to rax
For onything ye wint.

An artist? Nae a bit,
As he'd be quick to tell.
A jobbin tradesman's fit
He'd seener ca himsel.

An can ye lippen till
His wark? He says, 'Oh, aye,
But gin ye think it's ill
Ye dinna hae to buy!'

The Hill

I kent the hill fin I wis jist a loon.
The hill, the kirk, the hoose had aye been there,
Lang, lang afore my time — for evermair.
They'd aye be there as lang as time gaed roon.
But noo they're nae. The hoose has been dung doon.
The kirk is 'readjusted'. (Wid it sair
To speer gin that maks onybody care?)
But aye the hill is there abeen the toon.

The hill is there. Geologists wid say
That gin ye gie them time the hills can be
Made up or teen awa like heaps o strae.
But that wid take a gey lang time to dee.
Ye widna see't the morn, far less the day.
The hill is there for lang, lang aifter me.

Fa's Richt?

With the advent of Christianity the old nature worship assumed a sinister character... An enduring monument of this homage to the devil, as it appeared in the eyes of the Church, was the Goodman's Croft... Originally land dedicated to the Great Spirit worshipped there, it came through the influence of Christianity to be regarded as land consecrated to the Evil Spirit. — J.M. McPherson: Primitive Beliefs in the North-east of Scotland.

Lang syne, a gweedman's craft wis hereaboot.
The Session telt the fairmer to compear,
Admonished him, an ordered him to ploo't.
He did: the grun's been vrocht three hunner year.

The craft wis left to heather, breem an funn,
Gien ower to the deil, the Session said.
Mair likely to the speerits o the grun
An steens an beasts, for that wis far they bade.

Weel, noo 'development' has gotten's gyte,
They want to ploo a moss. The planner says't
It maan be left aleen, for it's a 'Site
Of Special Scientific Inter-est'.

Lang syne, a fairmer left a neuk unvrocht.
We leave a neuk for 'wildlife' — it's the laaw.
The scientific speerit? Here's a thocht:
Wis thon aal fairmer richt noo, aifter aa?

ALEXANDER SCOTT

Born in Aberdeen in 1920, Alexander Scott went to Aberdeen Academy and Aberdeen University and served in the Royal Artillery and then with the Gordon Highlanders. He was wounded in Normandy and awarded the Military Cross in 1945. From 1948 to 1983 he was Lecturer in Scottish Literature in the University of Glasgow, being appointed head of the Department in 1971. In 1976 he was appointed President of the Association for Scottish Literary Studies.

Untrue Tammas

Whan Tammas Rhymer — efter seeven
Lang year awa frae hearth and hame —
Cam back wi yarns ayont believin,
Aa the neibours yowtit, 'Shame!'

'I've been,' said Tam 'whaur yirth's a wonder,
It never needs the graip or plou,
There's hairst the haill year roun out yonder.'
'Ye're aff yir heid — or else ye're fou!'

'But yon's a place there's gowd aplenty
Jist liggan lowse, nae fash to howk it,
The chiels retire afore they're twenty.'
'They'll aa be like yirsel — fair gowkit!'

'Jalouse ye then I'm only blawan?
C'wa to the land I've left ahin,
And there you'll see the siller snawan,
Or gin ye dinna see't, ye're blin'.'

'Blin' we may be, but glaikit? — Never!
We're steeran neither fit nor hand
To follow you — we'd seek forever
Afore we fund yir promised land.'

'Then stay at hame and stairve! I'd gie ye
Baith siller and gowd to yir herts' content,
But gin my word means naething wi ye,
Bide here and scrape to pey the rent.

'I'm aff mysel to the easy wey o't
Whar life is leisure, sweet and saft,
And milk-and-hinney's never dry o't.'
'Awa ye go, ye sumph, ye're daft!'

Calvinist Sang

A hunder pipers canna blaw
Our trachled times awa,
Drams canna drown them out, nor sang
Hap their scarecrow heids for lang.

Gin aa the warld was bleezan fou
What gowk wud steer the ploo?
Gin chiels were cowpan quines aa day
They'd mak (but fail to gether) hay.

Pit by your bagpipes, brak your gless,
Wi quines keep aff the gress,
The-day ye need a hert and harns
As dour as the diamont, cauld as the starns.

Sang Sonnet

Sing frae the hert, but set the harns til rhyme,
For thochtless words, thae banes that want the marraw,
Maun brak like kindlin ablow the aix o time,
And glaikit sangs can cowp the aipple-barraw,
Dingin the aipples doun in fousome stour
To dee forgotten, tint in thon same hour.
A makar scrieved a hunder year sinsyne
Sae mony beuks the press ran short o letters,
But nou there's fient the sowl could speak a line
O' aa the lines he whummled out (puir craiturs),
Like brander-muck they've coupit doun the drain
Afore the flood o time, the skaichan rain.
Anither scrievit ae bit sang
Sae skeelie-short that time can wark nae wrang.

Young Byron In Aberdeen

Thon hirplan bairn wi the face o a angel
Will sing like a lintie and loo like a deil,
He'll lowp out-ower convention's dreel
Tae connach the God o Calvin's evangel.

His tongue will teir frae reiver and strumpet
The laird's brocades and the leddy's braws,
Tae ding doun tyranny's Jericho waas
His miminy mou will rair like a trumpet.

The haulflins nou rin by him quicker,
Mockan, 'Ye're slaw eneuch for the grave!'
But he that yet will outrin the lave
Gangs hirplan forrart, slaw but siccar.

Birds In Winter

Winter the warld, albeid the winnock-pane
    Had flouets o frost as bricht as spring's.
The clouds the sea-maws scour are kirkyaird stane,
Gray and cauld and lourd on skaichan wings.

The peerie birds in ilka naukit tree,
    Quaet they sit as cones o fir.
Langsyne they skimmed the lift, stravaigin free,
But grippit in winter's neive they canna stir.

They canna stir. The sea-maws up and doun
    Gang owre and owre and owre the sky.
The peeries wait for death wi never a soun,
The sea-maws rax for life wi never a cry.

Coronach
(for the dead of the 5th/7th Battalion, The Gordon Highlanders)

Waement the deid
I never did,
Owre gled I was ane o the lave
That someway bade alive
To trauchle my thowless hert
Wi ithers' hurt.

But nou that I'm far
Frae the fechtin's fear,
Nou I hae won awa frae aa thon pain
Back to my beuks and my pen,
They croud aroun me out o the grave
Whaur love and langourie and blyeness grieve.

Cryan the cauld words:
'We hae dree'd our weirds,
But you that bide ahin,
Ayont our awesome hyne,
You are the flesh we aince had been,
We that are bruckle brokken bane.'

Cryan a drumlie speak:
'You hae the words we spak,
You hae the sang
We canna sing,
Sen daith maun skail
The makar's skill.

'Makar, frae nou ye maun
Be singan for us deid men,
Sing to the warld we loo'd
'(For aa that it's brichtness lee'd)
And tell hou the sudden nicht
Cam doun and made us nocht.'

Waement the deid
I never did,
But nou I am safe awa
I hear their wae
Greetan greetan dark and daw —
Their weird to sing, my weird to dae.

JAMES S. WOOD

Dr. Wood was born at Portknockie in 1908 and went to Fordyce Academy and Aberdeen University, graduating M.A. with honours in English before studying Divinity at Christ's College. He went to Jamaica in a charge on the Theological College there, was Padre to the 7/9th Royal Scots in World War II, then minister at Newtonmore (7 years) and Aberdeen South Church (20 years). He was then a Lecturer at Christ's College and honorary Librarian there. Aberdeen University conferred on him the honorary degree of D.D. in 1972.

Time

Time taks langer strides fin we grow auler,
Days that aince were caul, a thochtie cauler.
The bonnie days for which we eesed t'yern,
Gang by as fest as threed rins aff a pirn.

The braes we clammered up fin we were swak,
Are mountains noo, a birn upon oor back.
The bairns fin we were bairns are bairns nae mair,
But men an weemen, aa wi greyin' hair.

Could that be Jeemsie that I met the streen,
Aince ootside richt in oor gran' fitba team?
An that, yon bonnie lassie Jeannie Ann
I saw, a pension beukie in her han'?

Ach, fit dist maitter gin the sang be sung,
If blythe's the speerit an' the hert is young?
The past is past, aheed we canna see,
But I believe the best is yet to be.

Psalm 139 (Verses 5 to 12)

The Lord's afore me and ahin.
Whaure'er I gang He's sure to be.
His wyes I canna unnerstan',
They're aa ower wunnerfu' for me.

Whaur sall I fae His speerit flee,
Whaur fae His presence win awa?
Heich i' the hivvens? Na, He's there.
Deep doon in Hell? He's there an aa.

Could I but tak the mornin's wings
Tae some quate place far ower the sea,
Ay, even there I ken fu' weel,
He'd lay His guidin han on me.

Were I t' think the midnicht dark
Wad surely hide me fae His sicht,
The midnicht wad be bricht as day,
An dark itsel wad turn tae licht.

Na; darkness has nae hidey-hole,
Nae secret place hooiver dim,
Gang whaur ye may, for licht an mirk
Are baith the very same t' Him.

Postscript To Creation

The first sax documentit days were past.
The great Creator's wark was deen at last.
It's sair wark makin aathing oot o' nocht,
'I'll tak it easy for a day' He thocht.
An' ere the sax days' licht began t' fade,
He lookit doon on aa that He had made,
An 'saw that it was good'. Noo surely this is
Fit ony man can read in Genesis.
But here's a secret, niver oot till noo,
The siventh cam', an lookin ower the view,
'I'm nae jist satisfied wi' aa I've deen'
The Maker mused......
'Noo something quite supreme
I maun create, a little Paradise below,
An nae far fae't, a heavenly hill.' An lo,
They're there for aa mankind t' see,
The earthly Paradise, and Bennachie!

(Footnote: Paradise is the name of a wooded area at Monymusk near Bennachie).

Tam

Tam wis in the bothy packin's kist,
Fan in cam Hilly wi his glowerin een.
'Is something wrong?' he speered. 'If so, fit is't?
there wis nae wird ava o' this the streen.'
'Jist that I'm leavin', ay, I'm gyaun the nicht.'
'Ye're leavin' Tam! Fegs, surely ye've gaen gyte!
I wunner Tammie gin I'm hearin' richt.
Is it the wauges, man? Jist tell me stracht.
Is it the mait or something else that's wrang?'
'The wauges suit me fine, the mait an' aa.'
'Then losh be here, oot wi't afore ye gang.'
'Jist this' said Tam. 'For thirty years an twa
I've vrocht as cattlie, second horse an grieve,
Forbye a twa-three year as orraman,
An niver aince in aa that time, believe
Me, niver aince hiv ye said 'Weel deen, Tam...'
So maisters aa, fa'e'er ye be, tak tent,
An wi the wauges, gie encouragement.

Geordie's Croft

Bograxie had been Geordie's Craft sin guid kens fan.
He'd torn it fae the hill wi' nae a livin sowl
T' gie a han', a pick an spaud his only tools...
Muckle rocks an heather, an a rowth o' bracken...
Nane but the Lord will iver ken hoo hard an lang
This peer man vrocht t' clear an till his lan',
Twa acres o't. An syne wi his ain hans
A simple hoose he'd biggit wi' the very stanes
He's ruggit fae the grun. An' there, a b' himsel
(A coo forbye) he dwalt nor envied ony man...
Spring watter at his door, saw sunrise on the hill,
Made freens wi' aa the livin craiturs roon aboot.
An' there he micht hae lived content for aa his days.

But cam the time fan legally it was declared
The hill an aa the lan' includin Geordie's grun
Belanged tae some rapacious lairds. An Geordie, noo
A deen auld man, had rent t' pey. That hit him hard.
Nae notice taen ava o aa the wark he'd deen.

Ae day, fan he wis weerin deen an like t' dee,
The meenister clumb up t' see 'im. An he spak
Aboot the life t' come, an speert at him,
'What, Geordie, would you like to have in heaven above?'
'Och, jist Bograxie at a raisonable rent'.
He spak nae mair. For syne his sowl took flicht.
An noo he has, o' this I can be sure,
A craftie till 'imsel, rent-free, for aa eternity.

The Fishers

'Hiv ye heard yet, Willie man,
Aboot the fish I lost the streen?
A muckle salmon, five fit lang,
The biggest I hiv iver seen'.

'Na, certies Jock, that wis a sicht!
A peety that ye lost 'im though.
But heard ye fit I catched last nicht,
In the burnie doon alow?

A lantern, Jock! An' fit think ye?
The can'le in't wis bleezin!'
'Come on noo Willie, that's a lee.
Ye've surely tint yer reason.'

'Weel Jockie lad, I'll tell ye fit,
Lat's jist pit things tae richt
Tak fower fit aff the fish ye lost,
An I'll blae oot ma licht!'

Overheard at the Mart

'I hear that Scuttrie left a thoosan pown.
That's a fair gweed fortin ony gate'.
'Aye, but Scuttrie didna leave it man.
Na, he wis pairtit fae't.'

'But did ye hear fit Tammie Wilson left?
Ye mind, he eesed tae blaw
Aboot the thoosans he wid leave.'
'Ay, an he left it aa.'

'Ye're wirth a bit yersel, eh Mains? But mind,
Ye canna tak it wi' ye, man'.
'Gin that's the case, I'll tell ye noo,
I winna gang'.

Love Story

He was echty-five, she echty-three.
Fairm servants baith they'd been, hard vrocht I'se warn'.
Reed-cheekit was she still, some runkeled he.
A couthy pair, they'd clum ower mony a cyarn.

'Noo, it it's nae ill-mainners, can I speir
Hoo you twa met' says I 'An faur an fan?'
Lauchin' oot lood he said 'Och, losh be here,
There's naething till't. I'll tell't as best I can.
Fin I wis fee't at Cairnie, jist a loon,
Ae weenter's day, blin drift it wis, an deep,
I wis trudgin throw the snaw ootside the toon.
The win wis cauld, it fairly made ye creep.
Then aa at aince I saw this bonnie lass
Foonerin in the snaw, a boatie far fae land...
So I gangs up t' her an says, 'Noo dinna fash,
But in the circumstances, will ye tak my han'?'

'I'll dee that' she said. Fine div I min'.
She took my han and held it, so...
An aa these saxty-seiven years sin syne,
She's niver, niver lat it go'.

Postscript

The years gied by an' he wis left his lane,
But by himsel' he couldna thole t' bide.
So noo, I'm sure, they're haudin hans again
Ayont the gloamin, on the ither side.

Temptation

Och, pit awa your books, my lass,
An come awa wi me.
The snae-white geans are aa in bloom,
The shinin gowd is on the broom.
Lay doon your books my bonnie lass,
An' come awa wi me.

Fit's the eese o Greek an Latin?
Nae ane speaks them mair.
Jist close your books my bonnie quine,
Come oot an pit your han in mine.
The spring is in the air,
Come oot an walk wi me.

Homer an Horace baith are deid,
They canna hear or see
The laverock's singin up abeen.
My dear, fin aa is said an deen
Fit maitters a degree?
Och, come awa wi me.

The spring's a time that winna bide,
So come ye oot an see
The livin warl as lang's it's young.
Come oot lass ere spring's sang be sung.
Lay by your books my bonnie lass,
An come awa wi me.

GLOSSARY or WORD-LEET

aa or **a** : all
aboon : above
aboot : about
ae : one
afore : before
ajee : squint
an : and
anes : ones
anely : only
aneth : beneath
aroon : around
auchtit : owned
awa : away
aye : always
ayebidan : forever
ayont : beyond

baggerel : shapeless female
bairn : child
baith : both
bannocks : pancakes
barritchfu' : harsh
bauchelt : down at heel
begack : deceive
ben : through
benmaist : innermost
beld : bald
bide : stay, remain
bield : shelter
bigsle : proud, conceited
bik or **bikk** : bitch
birlin : revolving
birk : birch-tree or bush
birn : burden, or burn
Eel : Yule, Christmas
bit : but
blaudit : injured
boddom : bottom
bool-e'ed : marble-eyed
bosies : bosoms
bourach : heap
bowfin : barking
bowster : bolster
braid : broad
braith : breath
brak : break, bankrupt
braw : handsome
brecham : horse's collar
breem : broom
breist : breast
breet : brute
brook : soot
broos : brows
brookit : streaked with grime
buik : book
buits : boots
buskit : adorned
byous : extraordinary

ca' : call
ca'ed : called
calfies : young calves
ca-throu : call-through
cassies : granite setts
cankert : cankered
caul', cauld : cold
chackie-mull : death watch beetle
chap : strike, knock
claikin : gossiping
chiel : a fellow, a man
chuckens : chickens
clooert : battered
clockin : brooding
cloo : ball of wool
clort : ill-dressed woman
clorty : messy
clyack : last handful of corn cut at harvest
coontit : counted
coo-branks : neck shackles for cattle
connach : spoil
couthie : affable, tender
cowp : overturn
coorse : coarse
cruive : pen for livestock
curnies : small amounts
crulgie : bent down in old age
cwyte : coat

dae : do
daith : death
dander : saunter
dane : done
deleerit : gone mad
ding-doon : smash down
dirdet : thumped
dirdumdree : routine

devaul : descend
doon-sittin : home or settlement
doon : down
dowie : mournful
dottlit : confused
doupin : dumping
dreep't : dripped
dung : beaten, defeated
dwined : wasted away
dwaum : day-dream
dyeuks : ducks
dyl't : toilworn

e'en : evening
eese : use
eident : busy
elbuck : elbow
eneuch : enough
enoo : just now, shortly
ettercap : spider
ettled : intended
ev' noo : in the meantime
eyn : end

faas : falls
fae : from
fairms : farms
fand : found
faur : where
fechts : fights
ferlies : novelties
fikey : troublesome
files or **fyles :** sometimes
fin : when
fit : foot, also what
fite : white
fitever : whatever
flauchts : flashes
forbye : as well
founs : foundations
fower : four
fowk : folk
frae : from
frichtsome : terrifying
frostit : frosted
fuff : puff
furth : out of; the open air
fut : what
fylin : defiling

gallus : flirtatious, cavalier
gangrel : vagrant
gaun : going
geet : infant
gie : give
girth-wallopin : bodily tumbling
girnin : complaining
gowd : gold
gowk : fool
gowkit : foolish, mad
grat : wept
greetin : crying
grumphin : grunting, grumbling
Gweed or **gweed :** God or good
gurlie : boisterous
guid : good

hail : whole or health
hale : the whole
hairt : heart
hallirackit : hoydenish
hame : home
haps : covers
hauds : holds
heid : head
heelstergowdie : head over heels
heistin : hoisting
herdin : herding
hine-awa : far away
hing : hang
hinna : have not
hippans : diapers
hirplan : hobbling
hist : haste
hiv : have
hoor : whore
hotterin : simmering
hudderie : rough, shaggy
hung-tee : jammed to
hyowe : hoe
hyse : horseplay

i' : of
ilkie : every
intimmers : insides
itsel : itself

jalouse : suspect, suppose
jeeled : frozen
jinniprous : spruce
jinkit : dodged
jist : just
jouk : dodge
jug-luggit : dish-eared

keek : look
keekat : looked for
keepit : kept
kent : knew
kink-hoast : whooping cough
kinnles : kindles
kitchie : kitchen
kittle : tickle, flatter
kist : chest
knipin : biting
knowt : animals
kye : cows or cattle
kypie : hollow

ladle : collecting box
laft : loft
laich : low
lames : crockery
lang : long
langsyne : distant past
lauch : laugh
lave : remainder
larik : larch
laverock : lark
lear : learning
lemn : broken earthenware
leid : language
licht : light
lift : sky, firmament
liftit : lifted
liggan : reclining
littlins : children
lo'e : love
lowe : light
lown : calm, serene
lowse : unyoke
lugs : ears
luikit : looked
lum : chimney
lyart : streaked
lythe : shelter

maet : meat
mair : more
massey : jersey
meenit-heid : punctual
miminy : affected
mind : watch out
mineer : a great ado
mirk : dark
mither : mother
mischanter : mishap
mistak : error
mon : among
mools : moulds, graves
mony : many
mowser : moustache
muckit : cleaned out
murlick : a crumb
muckle : big

nae : no
naething : nothing
nane : none
navel-tow : umbilical cord
neist : next
neive : fist

neth : below
nichert : neighed or snickered
nickum : little devil
nivver : never
Norlan : Northland
nyaakit : naked

o or o' : of
onding : downpour
oot : out
ootbye : outside
orra : odd, without a fellow
ouks : weeks
ower and **owre :** over, too
oxters : armpits

Pace : Easter
park : field
peely-wallie : sickly looking youth
peelin : thrashing
peenie : pinafore
perjink : precise, finical
pirn : bobbin or reel

preen : pin
primpit : stiff, affected
pyockfu' : pouch-full

queyn or **quine :** a girl
quickenin : living, alive

redd : tidied up
rattens : rats
reid : red
reemin : running over
rizzon : reason
richt : right
roch : rough
roogs : pulls, tears
rowie : roll
rozetty : resined
ruggin : pulling

saft : soft
safties : soft slippers
sair : sore, hard
sair-won : hard won
sansich : curt
saut : salt
sax : six
sclims, sclimman : climb
scraun : scrounge
scrieve : write
scunnert : fed up
scuttert-kin : humbugged
scud : smack, stroke with tawse
sharn : cattle dung
sharger : lean person
shard : fragment
shelvins : boards
shammelt : uneven
sicht : sight
siller : silver
siccar : sure
skails : spills
skeely : skilled
skytit : glanced off
sma : small
sklates : slates
skirl : screech
sna : snow
souch : sound of the wind
sotter : a mess
spak : speak
snibs : closes
smarrach : swarm
speir : ask
spurgie : swallow
smore : smother
squallichin : squealing
spunks : matches
sneddit : lopped off
snocherin : breathing heavily
staig : stallion
splytered : dashed water on
steir : stir
steen : stone
strae : straw
styoo : dust
stilpert : spindly
suskit : threadbare
sweir : reluctant

tae : to
takkin : taking
tattie : potato
tattie-bogle : scarecrow
tak tent : notice
tee : to
teem : empty
teetin : peeping
teuchit : lapwing
tham : them
theats : leather traces for horses
thirled : bound
thrawn : stubborn
til or **till :** to
tine, tyne or **tint :** lose or lost
tirr : strip
thocht : thought
throwe : through
toun : town
trachelt : troubled
tinks : beggars
traivelt : travelled
travisses : stalls
troch : manger

unsteek : unravel

verra : very

wad : would
waement : lament
wallydraigle : draggle-tail
wame : stomach
warld : world
waukrife : wakeful
wecht : weight
weer : wire
weird : destiny
wersh : bitter
wi : with
winkert : eyelashed
winted : wanted
win'-trimmer : sail
wir : our
wird : word
wither : weather
worth i' the queets : weak in the ankles
wrang : wrong

yird : earth
yirth : earth
yoke : engage
yon : that one
yowe : ewe
yowdendrift : wind-driven snow
yowtit : cried